101 PLATOS PARA COMPARTIR

Título original: *101 Easy Entertaining Ideas*

Primera publicación por BBC Books, un sello de Ebury Publishing, una división de Random House Group Ltd, 2003

Primera edición: febrero de 2010

Edición: Lorna Russell
Edición del proyecto: Laura Higginson
Diseño: Kathryn Gammon
Producción: Lucy Harrison
Búsqueda de imágenes: Gabby Harrington

Fotocomposición: compaginem

ISBN: 978-84-253-4402-2

Impreso en Gráficas 94, S.L.
Sant Quirze del Vallès (Barcelona)
Encuadernado en Reinbook

Depósito legal: B.1290-2010

G R 4 4 0 2 2

101 PLATOS PARA COMPARTIR

Janine Ratcliffe

Sumario

Introducción

En **olive** creemos que invitar a comer debería ser divertido. Tendría que consistir en compartir una comida deliciosa con amigos, en lugar de pasarse horas esclavizado en la cocina para elaborar recetas complejas. Aquí encontrarás todas las recetas necesarias para un menú sin complicaciones, tanto si preparas un almuerzo informal como una cena después del trabajo o una fiesta.

Estas imaginativas recetas, basadas en platos sencillos y con estilo y un punto divertido, impresionarán a tus invitados sin exigirte demasiado tiempo y esfuerzo.

En *101 platos para compartir* hay recetas para todas las ocasiones, tanto si buscas un entrante como un plato único o un pudin de sobras. Para esta colección, el equipo de **olive** ha seleccionado platos sencillos pero sorprendentes como Muslos de pato asado con puré de boniato (imagen izquierda, véase receta en página 70), que impresionarán a los invitados más exigentes.

Como de costumbre, todas las recetas se han probado en la cocina de **olive** para cerciorarse de que tengan un sabor fabuloso y de que salgan bien a la primera.

Janine Ratcliffe
Food Editor
Revista **olive**

Tablas de conversión

NOTA PREVIA

- Lava todos los productos frescos antes de su preparación.

TEMPERATURA DEL HORNO

Gas	°C	°C convección	Temperatura
¼	110	90	muy baja
½	120	100	muy baja
1	140	120	baja o suave
2	150	130	baja o suave
3	160	140	templada
4	180	160	moderada
5	190	170	media
6	200	180	media-alta
7	220	200	alta
8	230	210	muy alta
9	240	220	muy alta

MEDIDAS DE LAS CUCHARADAS

Las cucharas son rasas, salvo indicación contraria.

- 1 cucharadita = 5 ml
- 1 cucharada = 15 ml

RECETAS

Se utilizan cebollas rojas grandes para que cada rodaja llene una tartaleta. Si las cebollas son pequeñas, superponer dos rodajas.

Tartaletas de queso de cabra y cebolla roja

500 g de masa quebrada
2 cebollas rojas grandes
aceite de oliva para freír y aliñar
1 cucharada de vinagre balsámico
½ cucharada de hojas de tomillo picadas
6 rodajas de queso de cabra de un rulo pequeño

50 minutos • 6 raciones

1 Precalentar el horno a 220 °C. Revestir de pasta 6 moldes de tartaleta (de unos 10 cm de diámetro) y pinchar la base. Forrar con papel de horno y unas alubias secas, y cocer durante 10 minutos o hasta que la pasta empiece a dorarse. Quitar el papel de horno y cocer otros 5 minutos o hasta que la pasta quede crujiente, seca y cocida.

2 Mientras tanto, cortar las cebollas rojas en rodajas gruesas (se necesitan 6). Calentar un poco de aceite en una sartén grande y freír las rodajas con cuidado, sin romperlas por ambos lados, hasta que se ablanden, unos 15 minutos en total. Añadir el vinagre balsámico y el tomillo y hervirlos juntos. Colocar una rodaja de cebolla en cada tartaleta y poner un trozo de queso de cabra encima.

3 Cocer hasta que el queso de cabra empiece a borbotear y a dorarse un poco. Rociar con un poco de aceite de oliva antes de servir.

Aunque no se trata de un ingrediente habitual para cocinar, en esta receta el kétchup es imprescindible. Con ningún otro ingrediente sabe igual la salsa rosa.

Cóctel de gambas

300 g de gambas grandes cocidas y peladas
2 cogollos de lechuga con las hojas separadas
1 pizca de pimienta de cayena o pimentón dulce
gambas grandes cocidas sin pelar para aderezar (opcional)
gajos de lima o de limón para servir

SALSA ROSA
4 cucharadas de mayonesa
1½ cucharadas de kétchup
1 pizca de tabasco
1 cucharada de zumo de limón recién exprimido

10 minutos • 4 raciones

1 Mezclar todos los ingredientes de la salsa, añadiendo más limón o tabasco al gusto.
2 Disponer las hojas de cogollo en unas copas bonitas. Poner encima las gambas, echar salsa por encima y espolvorear una pizca de pimienta de cayena sobre cada una. Aderezar con gambas sin pelar (si se utilizan) y servir con gajos de lima o limón.

Se pueden utilizar todo tipo de hortalizas, lo importante es cortarlas en rodajas muy finas. La harina para tempura se puede comprar en supermercados con ingredientes japoneses.

Tempura vegetariana

250 ml de soda helada
150 g de harina para tempura
(o harina corriente)
aceite de oliva para freír
150 g de setas shiitake en rodajas
1 boniato partido por la mitad
a lo largo y cortado en rodajas finas
1 berenjena cortada en rodajas finas
1 pimiento rojo cortado en tiras

SALSA PONZU
4 cucharadas de zumo de limón
recién exprimido
4 cucharadas de salsa de soja
1 cucharada de azúcar extrafino

25 minutos • 6 raciones

1 Mezclar los ingredientes para la salsa ponzu. Poner la soda en un cuenco, añadir la harina y mezclar someramente hasta que quede algo grumoso.
2 Llenar con aceite 1 tercio de un wok o de una sartén y calentar. Probar la temperatura echando un trozo de pan; si chisporrotea y flota, el aceite ya está caliente. Pasar las hortalizas por la mezcla y freírlas por tandas hasta que queden doradas. Colocarlas luego sobre papel de cocina para escurrir el aceite. Servir con la salsa.

Para que la clara del huevo quede firme y con el borde liso, deben utilizarse huevos frescos con un poco de vinagre en el agua para hervir.

Huevo escalfado con judías verdes y salsa ravigote

200 g de judías verdes redondas
3 cucharadas de aceite de oliva virgen extra
1 cucharadita de vinagre de vino tinto
1 cucharadita de mostaza de Dijon
1 cucharadita de alcaparras picadas
2 cucharadas de perejil picado
1 manojo de hojas de estragón picadas
1 chalota picada fina
1 cucharada de vinagre de vino blanco
4 huevos

15 minutos • 4 raciones

1 Escaldar las judías en agua con sal hasta que queden al dente. Echar en agua helada, escurrir y pasar por 1 cucharadita de aceite. Batir el vinagre de vino tinto con la mostaza, sazonar e incorporar el resto del aceite sin dejar de batir. Añadir las alcaparras, las hierbas y la chalota.
2 Justo antes de servir, volver a calentar las judías. Calentar 5 cm de agua en una cazuela poco honda con el vinagre de vino blanco y llevar a una suave ebullición.
3 Partir cada huevo en un cuenco y deslizar en la cazuela. Cocer durante 3-4 minutos. Sacar con una espumadera y escurrir en papel de cocina. Repartir las judías en 4 platos, colocar un huevo por encima y aderezar con el aliño.

Si se sirven las vieiras con concha, antes hay que lavarlas bien y esterilizarlas en el horno 10 minutos.

Vieiras envueltas en jamón serrano con mantequilla al perejil y al limón

- 24 tomates cherry en rama
- 24 vieiras pequeñas limpias
- 12 lonchas de jamón serrano partidas por la mitad
- 3 cucharadas de aceite de oliva virgen extra
- 3 cucharadas de mantequilla
- 2 dientes de ajo picados finos
- la ralladura y el zumo de 1 limón
- 1 manojo pequeño de perejil picado fino

40 minutos • 8 raciones

1 Precalentar el horno a 180 °C. Colocar los tomates en una bandeja de horno y sazonar. Cocer durante 20 minutos, sacar del horno y dejar aparte. Bajar la temperatura a 120 °C.

2 Poner una vieira en cada trozo de jamón, enrollar apretadamente y sujetar con un palillo. Calentar una sartén hasta que esté muy caliente.

3 Echar el aceite y freír las vieiras a fuego vivo hasta que el jamón se dore y quede crujiente por los dos lados. Mantener calientes en el horno mientras se van haciendo.

4 Echar la mantequilla y el ajo en la sartén y dejar 2 minutos a fuego lento. Añadir la ralladura y el zumo de limón, y calentar. Añadir el perejil. Servir las vieiras con los tomates y echar la mantequilla por encima.

Es recomendable que las coliflores tengan cabezas firmes, blancas y apretadas, y hojas verdes.

Sopa de coliflor y parmesano

1 cebolla grande troceada
2 dientes de ajo troceados
mantequilla
1 coliflor troceada
750 ml de leche
50 g de queso parmesano rallado fino
cebollinos frescos en trozos largos para adornar
pan crujiente para servir

30 minutos • 4 raciones

1 Sofreír la cebolla y el ajo en un trozo grande de mantequilla hasta que queden bien blandos. Añadir la coliflor y cocer durante 1 minuto, luego añadir la leche y hervir a fuego lento hasta que se ablande la coliflor. Batir en el robot hasta obtener un puré fino. Incorporar el parmesano, sazonar bien y adornar con los cebollinos. Servir con pan crujiente.

Es un entrante perfecto con pan crujiente, pero los mejillones también pueden servirse como canapés con bebidas.

Mejillones con pan rallado de ajo y hierbas

2 kg de mejillones limpios
50 g de mantequilla congelada rallada
50 g de pan rallado reciente
1 diente de ajo machacado
1 manojo pequeño de perejil picado
1 limón cortado en gajos y pan crujiente para servir

45 minutos • 2 raciones

1 Asegurarse de que los mejillones están vivos antes de cocerlos. Tirar los que estén abiertos y no se cierren al golpearlos.

2 Calentar una cazuela grande, echar los mejillones con un poco de agua, tapar y cocer hasta que se abran. Tirar los que no se abran. Quitar la concha superior de cada mejillón y tirar. Mezclar la mantequilla, el pan rallado, el ajo y el perejil.

3 Poner una capa de mejillones en una bandeja de horno. Espolvorear la mezcla de pan rallado por encima, y luego poner bajo el gratinador a la máxima potencia el tiempo justo para que se doren. Servir con limón y pan crujiente.

Es un plato rápido, pero su aspecto impresiona. El puré de guisantes es muy homogéneo, de modo que sirve también como salsa.

Vieiras con puré de guisantes y menta

- 250 g de guisantes congelados
- 25 g de mantequilla y un poco más para freír
- 100 ml de caldo de pollo
- 1 manojo pequeño de hojas de menta troceadas
- 12 vieiras
- ½ cucharadita de comino molido
- aceite de girasol
- hojas de lechuga y vinagre balsámico para aderezar

20 minutos • 4 raciones

1 Poner los guisantes, la mantequilla y el caldo en una cazuela y sazonar bien. Hervir a fuego lento durante 3-4 minutos (los guisantes han de quedar bien verdes) y batir luego en un robot de cocina o batidora hasta hacer puré. Volver a echar en la cazuela y mantener caliente.

2 Sazonar las vieiras con un poco de comino y sal. Calentar un poco de aceite y de mantequilla en una sartén antiadherente.

3 Freír las vieiras a fuego vivo 1 minuto por cada lado (han de quedar con un bonito color caramelizado). Servir 3 vieiras por persona sobre un lecho de puré de guisantes con unas cuantas hojas de lechuga aliñadas con vinagre balsámico.

Intenta conseguir boniatos de pulpa naranja para que le den mejor color al suflé.

Suflés de boniato y queso cheshire

25 g de mantequilla y un poco más para untar los moldes
3 cucharadas de queso parmesano rallado fino
350 g de boniatos pelados y cortados en trozos
2 cucharadas de harina
150 ml de leche
75 g de queso cheshire desmenuzado
1 pizca de chile seco en escamas
1 cucharada de cebollinos cortados
2 huevos y 2 claras

1 hora y 10 minutos • 6 raciones

1 Precalentar el horno a 200 °C. Untar de mantequilla 6 moldes de 200 ml y espolvorear el interior con parmesano.
2 Cocer los boniatos en agua hirviendo con sal durante 10-15 minutos hasta que estén tiernos. Escurrir y hacer puré.
3 Derretir la mantequilla en una cazuela e incorporar la harina. Añadir la leche poco a poco, mezclando bien, hasta obtener una salsa homogénea. Añadir el queso, remover hasta que se derrita, luego incorporar el chile y los cebollinos. Sacar del fuego y agregar el puré de boniatos. Dejar enfriar.
4 Separar las claras y echar las yemas en la mezcla de puré de boniato. Poner todas las claras en un cuenco grande y batir con varillas eléctricas a punto de nieve. Echar una cuarta parte de las claras en el puré de boniato para hacerlo menos espeso, incorporar luego el resto. Repartir la mezcla en los moldes y ponerlos en una bandeja de horno. Cocer durante 20-25 minutos hasta que suban y se doren.

El paté puede prepararse varias horas o un día antes de servirlo y meterlo en la nevera hasta que se necesite.

Paté de salmón ahumado y berros con pan integral

250 g de salmón ahumado en láminas
100 g de mantequilla sin sal blanda
100 g de queso para untar
el zumo de 1 limón
1 puñado de berros
3 panecillos integrales
2 cucharadas de aceite de oliva
sal marina en escamas

15 minutos • 5 raciones

1 Poner el salmón, la mantequilla, el queso, el zumo de limón y los berros en un robot y batir hasta que se mezcle someramente. Partir los panes por la mitad y luego en rebanadas finas. Echar por encima el aceite de oliva y la sal marina y cocer a 190° durante 10-15 minutos o hasta que estén crujientes. Servir con el paté.

Las obleas de arroz se venden secas en paquetes. Hay que enrollarlas lo más apretada posible sin que se rompan.

Rollitos de obleas de arroz con verduras y salsa de cacahuete

50 g de fideos finos de arroz
50 g de rúcula
1 cebolla roja partida por la mitad y cortada en rodajas
2 zanahorias grandes cortadas en palitos
1 pimiento rojo cortado en palitos
1 manojo de hojas de cilantro picado
12 obleas de arroz
1 manojo pequeño de hojas de menta

SALSA DE CACAHUETE PARA MOJAR
5 cucharadas de salsa hoisin
3 cucharadas de mantequilla de cacahuete blanda
1 cucharada de aceite de sésamo
salsa de chile o 1 cucharadita de pasta de fríjoles

45 minutos • 12 rollitos

1 Para la salsa de cacahuete, mezclar todos los ingredientes en un cuenco. Agregar 3 cucharadas de agua hirviendo, mezclar y echar en un cuenco para servir.
2 Verter agua caliente sobre los fideos y dejar 3 minutos hasta que se ablanden. Lavar con agua fría, escurrir, poner sobre un trapo limpio y cortar en trozos de unos 12 cm de largo con tijeras.
3 Poner las hortalizas, las hierbas y los fideos en montones separados en una bandeja.
4 Echar agua caliente en un cuenco, meter 1 oblea de arroz y dejar 30 segundos hasta que se ablande. Sacar y quitar el exceso de agua con papel de cocina. Poner 2 hojas de menta en la parte superior de la oblea y una pequeña cantidad de hortalizas, cilantro y fideos en la mitad inferior. Doblar el borde inferior sobre las hortalizas y luego los lados hacia dentro. Enrollar. Colocar con la juntura hacia abajo en una bandeja y repetir el proceso para los demás rollitos.
5 Servir los rollitos enteros o cortados en diagonal. Servir con la salsa de cacahuete.

Una vez maduros, los higos se estropean con gran rapidez, de modo que es mejor comérselos enseguida.

Chutney de queso manchego e higos frescos

1 cebolla roja picada fina
4 cucharadas de azúcar moreno
1 cucharadita de semillas de mostaza
1 bastoncito de canela
1 anís estrellado
1 trocito de raíz de jengibre rallado
4 cucharadas de vinagre de vino tinto
4 higos cortados a lo largo
12 rebanadas finas de pan tostado con aceite
100 g de queso manchego en láminas muy finas
1 puñado de rúcula para aderezar

30 minutos • 4 raciones

1 Poner la cebolla, el azúcar, las especias, el jengibre y el vinagre en una cazuela y cocer a fuego lento hasta que la cebolla se ablande por completo. Añadir los trozos de higo y cocer durante 5-10 minutos más hasta que los higos empiecen a romperse. Para servir, poner sobre los crostini un poco de queso manchego, un poco de chutney de higos y unas hojas de rúcula.

La temporada del calamar es bastante corta, desde finales de agosto hasta noviembre. Es recomendable comprarlos en una buena pescadería y pedir que los limpien.

Calamares salpimentados

1 cucharada de granos de pimienta de Szechuan
1 cucharadita de chile seco en escamas
1 cucharada de escamas de sal marina
4 cucharadas de harina
4 cucharadas de maicena
400 g de calamares limpios
aceite de cacahuete para freír
gajos de limón para servir

25 minutos • 2 raciones

1 Machacar juntos los granos de pimienta, el chile y la sal marina en un mortero y mezclar luego con la harina y la maicena. Partir los calamares por un lado, abrir y marcar el interior con cortes ligeros cruzados. Cortar en trozos del tamaño de un bocado. Llenar con aceite 1 tercio de una cazuela grande o un wok. Calentar hasta que un dado de pan se dore en 30 segundos. Rebozar los trozos de calamar en la mezcla de harina, sacudir el exceso y freír durante 1-2 minutos o hasta que se doren.

2 Servir con los gajos de limón.

Los espárragos se parten por el punto en el que se vuelven más duros. Utiliza los trozos cortados para hacer caldo vegetal.

Rollos de espárragos, mozzarella y jamón serrano

16 espárragos recortados
125 g de mozzarella partida en cuatro
8-12 lonchas de jamón serrano
3 cucharadas de aceite de oliva y un poco más para freír
1 cucharada de vinagre de vino tinto
1 manojo pequeño de hojas de albahaca finamente cortadas
hojas de lechuga para servir

20 minutos • 4 raciones

1 Escaldar los espárragos 2 minutos y enfriar luego con agua fría. Partir por la mitad los 4 trozos de mozzarella y colocar las dos mitades sobre 2 espárragos. Poner 2 espárragos sobre la mozzarella y envolverlo luego todo con jamón serrano dejando la mozzarella tapada (se necesitarán 2 o 3 rodajas). Calentar un poco de aceite de oliva en una sartén y freír los rollos con cuidado hasta que el jamón quede crujiente y rezume mozzarella.

2 Batir el aceite de oliva con el vinagre y añadir la albahaca.

3 Servir cada paquete con hojas de lechuga y rociar con un poco de aliño.

Para preparar tostadas melba, tostar rebanadas gruesas de pan blanco, quitar la corteza y partir horizontalmente para obtener dos trozos finos. Poner los lados sin tostar bajo el gratinador hasta que queden dorados y crujientes.

Paté de caballa ahumada, limón y hierbas

250 g de caballa ahumada sin espinas ni piel y cortada en láminas finas
200 g de queso para untar
la ralladura y el zumo de 1 limón
2 cucharadas de perejil fresco picado
2 cucharadas de cebollinos frescos troceados
1-2 cucharadas de crema o salsa de rábanos picantes al gusto
tostadas melba o brioche tostado para servir

15 minutos • 6 raciones

1 Echar la caballa ahumada, el queso, la ralladura y el zumo de limón en un robot de cocina y mezclar bien. Agregar las hierbas y el rábano picante. Enfriar hasta el momento de servir.

Todos los frutos secos se resecan y amargan con el tiempo. Si compras nueces de temporada en otoño, el pesto saldrá más dulce.

Queso de cabra gratinado con pesto de nueces y perejil

25 g de nueces peladas y tostadas
1 manojo pequeño de perejil
1 diente de ajo machacado
aceite de oliva
el zumo de ½ limón
4 rodajas gruesas de queso de cabra de una pieza con corteza
hojas de lechuga para servir

15 minutos • 4 raciones

1 Poner las nueces, el perejil y el ajo en un robot de cocina y mezclar incorporando el aceite de oliva hasta que la mezcla sea consistente. Sazonar y añadir el zumo de limón.

2 Colocar el queso de cabra sobre una bandeja de horno antiadherente y meter bajo el gratinador hasta que se dore.

3 Servir el queso de cabra sobre las hojas de lechuga y echar el pesto por encima con una cuchara.

Se puede apretar la terrina mientras se enfría en la nevera usando una tabla con un par de latas encima. De este modo la textura será más firme.

Terrina de cerdo con orejones y pistachos

300 g de lomo de cerdo sin grasa y cortado en dados
2 dientes de ajo machacados
2 ramitas de tomillo fresco
2 cucharadas de brandy
250 g de panceta en lonchas y sin corteza
1 kg de carne de salchichas de buena calidad, o salchichas sin piel
1 manojo pequeño de perejil picado
1 manojo pequeño de cebollinos frescos troceados
100 g de pistachos sin cáscara
8-10 orejones

1 hora y 30 minutos + adobo + 2 noches para enfriar • 8 raciones

1 Echar el cerdo, el ajo, 1 ramita de tomillo y el brandy en un cuenco, tapar y dejar en adobo en la nevera toda la noche.

2 Precalentar el horno a 180 °C. Untar de mantequilla un molde de terrina de 1 kg o un molde de pan, poner la otra ramita de tomillo en el fondo del molde y forrar con lonchas de panceta superpuestas. Desmenuzar la carne de salchicha con un tenedor, echar en el cuenco con el cerdo adobado y mezclar. Incorporar el perejil, los cebollinos y los pistachos y sazonar. Llenar la terrina con la mitad de la mezcla de cerdo y colocar los orejones en fila en el centro. Poner encima el resto de la mezcla, allanar y estirar la panceta por encima. Cubrir con papel de aluminio untado de mantequilla y envolver la terrina en una doble capa de film transparente.

3 Poner la terrina en una bandeja de horno medio llena de agua hirviendo y cocer 1 hora. Dejar enfriar y meter en la nevera toda la noche. Desmoldar hundiendo el molde en agua caliente y volcándolo sobre una bandeja.

Tanto el queso como el jamón serrano son muy salados, así que solo debe usarse pimienta para sazonar.

Ensalada de higos, gorgonzola y jamón serrano

3 cucharadas de aceite de oliva
1 cucharada de vinagre balsámico
4 higos maduros partidos por la mitad
100 g de gorgonzola o dolcelatte en rodajas
3 lonchas de jamón serrano
1 manojo de berros sin tallos

10 minutos • 2 raciones

1 Batir el aceite de oliva con el vinagre balsámico y sazonar con pimienta. Disponer los higos, el queso, el jamón y los berros en 2 platos. Rociar con el aliño y servir.

Usa una bandeja de plástico o un plato de cerámica para curar el salmón, pues de lo contrario se produciría una reacción.

Salmón en azúcar

1 lomo de salmón de 500-800 g con piel y sin espinas
100 g de sal de roca
100 g de azúcar mascabado ligero
2 estrellas de anís un poco machacadas
la ralladura de una naranja y guardar el zumo para el aliño
3 cucharadas de vodka

ENSALADA DE HIERBAS Y ALIÑO
50 g de canónigos
50 g de rúcula
1 manojo de hojas de perifollo un poco picadas
1 manojo de cebollinos frescos troceados
3 cucharadas de aceite de oliva
1 cucharadita de mostaza de Dijon
1 cucharada de vinagre de sidra
½ cucharadita de azúcar mascabado ligero

30 minutos + 24 horas de curado
• 12 raciones

1 Colocar el salmón sobre una bandeja plástica o un plato de cerámica con la piel hacia abajo. Mezclar la sal, el azúcar, estrellado y la ralladura de naranja, y extender la mezcla sobre el salmón. Rociar con el vodka. Envolverlo todo junto con film transparente, luego poner una tabla encima y, sobre la tabla, 2 latas. Dejar 24 horas, pero sacando cada tanto el líquido que se forme.
2 Cuando esté listo, desenvolver, quitar la mezcla con un cepillo (pasar brevemente bajo el grifo si es necesario). Cortar rodajas finas de salmón en diagonal. Colocar en platos. Mezclar las hierbas, batir el aceite de oliva con el zumo de naranja, la mostaza, el vinagre y el azúcar, y aliñar la ensalada.
3 Servir con el salmón.

Las zanahorias asadas concentran sus azúcares naturales y alcanzan un sabor realmente dulce.

Sopa de zanahorias asadas con crème fraîche a las hierbas

1 cebolla cortada en trozos
800 g de zanahorias peladas y un poco picadas
mantequilla
1 hoja de laurel
1 cucharadita de miel líquida
2 litros de caldo vegetal o de pollo
200 ml de crème fraîche
4 cucharadas de hojas de menta, albahaca y perifollo picadas (utilizar solo un tipo o mezclar 2 o 3)

1 hora • 6 raciones

1 Precalentar el horno a 200 °C y poner la cebolla y las zanahorias en una bandeja de horno con unos cuantos trozos de mantequilla. Asar 30 minutos o hasta que las hortalizas se vuelvan de color marrón. Echar en una cazuela, añadir la hoja de laurel, la miel y el caldo, y llevar a ebullición a fuego lento.

2 Cocer 10 minutos o hasta que las zanahorias queden muy blandas, luego sacar el laurel y usar la batidora para obtener una mezcla homogénea.

3 Colar si se quiere una mezcla realmente homogénea. Sazonar y mantener caliente.

4 Mezclar la crème fraîche con las hierbas y sazonar. Servir la sopa con cucharadas de crème fraîche a las hierbas.

La remoulade es una salsa francesa clásica hecha con una mayonesa muy sazonada, que se utiliza a menudo para aliñar apio nabo.

Pastelitos de cangrejo con remoulade de hinojo

400 g de carne de cangrejo blanco cocida
3 cucharadas de mayonesa
2 cebolletas picadas finas
3 cucharadas de perejil picado
2 huevos batidos
pan rallado fresco
mantequilla para freír

REMOULADE DE HINOJO
1 bulbo de hinojo cortado en juliana
2 chalotas pequeñas cortadas en rodajas finas
2 cucharadas de perejil picado
4 cucharadas de mayonesa
2 cucharadas de mostaza de Dijon
1 cucharadita de alcaparras lavadas
1 cucharada de pepinillos picados
el zumo de 1 limón

50 minutos • 4 raciones

1 Mezclar el cangrejo, la mayonesa, las cebolletas y el perejil. Amasar 12 pastelitos pequeños y rebozar luego con el huevo y el pan rallado. Meter 30 minutos en la nevera para que se endurezcan. Mezclar todos los ingredientes de la remoulade.

2 Calentar un trozo de mantequilla en una sartén antiadherente. Freír los pastelitos en tandas hasta que se doren. Servir con la remoulade.

Al comprar el melón, aprieta ligeramente los extremos.
Si ceden, está listo para comer.

Ensalada de mozzarella, jamón serrano y melón cantalupo

1 bola de mozzarella de búfala partida en trozos
6 lonchas de jamón serrano
2 rodajas gruesas de melón cantalupo sin cáscara
aceite de oliva
1 chorrito de zumo de limón

10 minutos • 2 raciones

1 Colocar la mozzarella, el jamón serrano y el melón en 2 platos.
2 Rociar con aceite de oliva y un chorrito de zumo de limón. Espolvorear ligeramente con sal marina y pimienta negra partida.

Se pueden utilizar tanto guisantes frescos como congelados. Si se utilizan los congelados, no es necesario escaldarlos, sino que basta con que se descongelen.

Buñuelos de guisantes, feta y hierbas

100 g de harina
1 cucharadita de levadura en polvo
1 huevo
150 ml de leche
100 g de guisantes congelados, escaldados durante 2 minutos y escurridos
100 g de queso feta cortado en dados pequeños
2 cucharadas de cebollinos, perejil y albahaca picados (utilizar solo 1 tipo o mezclar 2 o 3)
2 cebolletas picadas
aceite para freír
tomates cherry en rama asados para servir

30 minutos • 4 raciones

1 Mezclar la harina, la levadura, el huevo y la leche. Incorporar los guisantes, el queso feta, las hierbas y la cebolleta, y sazonar muy bien.
2 Calentar un poco de aceite en una sartén grande antiadherente. Echar cucharadas de la mezcla en la sartén y freír durante 2-3 minutos por cada lado hasta que se doren los buñuelos y queden bien hechos. Espolvorear con sal marina. Servir 3 por persona con guarnición de tomates cherry asados.

Si compras cangrejo para cocinarlo en casa, elije uno que sea pesado para su tamaño. Muchas pescaderías venden el cangrejo cocido o carne de cangrejo.

Cócteles de cangrejo, aguacate y lima

200 g de carne de cangrejo blanco cocida
2 cucharadas de hojas de cilantro picadas
1 chile rojo picado
el zumo de 1 lima
2 puñados de rúcula
2 aguacates pelados y cortados a lo largo

ALIÑO DE LIMA
150 ml de mayonesa
la ralladura y el zumo de 1 lima
3 cucharadas de hojas de cilantro picadas

20 minutos • 6 raciones

1 Mezclar el cangrejo con el cilantro, el chile y el zumo de lima. Sazonar.
2 Repartir las hojas de rúcula en 6 copas de cóctel. Poner capas de cangrejo y aguacate en cada copa.
3 Mezclar los ingredientes del aliño, sazonar y echar por encima de los cócteles.

Para guardar los berros, ponlo en un cuenco con agua y cubre con una bolsa de plástico. Solo se han de quitar los tallos fibrosos.

Sopa de berros con tostadas de queso de cabra

- 1 cebolla un poco picada
- 1 diente de ajo machacado
- 25 g de mantequilla
- 1 patata pelada y cortada en dados
- 1 litro de caldo vegetal o de pollo
- 250 g de berros sin los tallos que estén duros
- 4 cucharadas de nata para montar
- 8 rebanadas de una baguete pequeña tostadas
- 100 g de queso de cabra cortado en rodajas

40 minutos • 4 raciones

1 Freír la cebolla y el ajo en la mantequilla hasta que se ablanden. Añadir la patata y el caldo, y hervir 15 minutos a fuego lento. Echar los berros y cocer durante 1-2 minutos (la sopa ha de quedar de un vistoso tono verde), luego pasar a una batidora y batir hasta que quede homogéneo.

2 Devolver a la cazuela e incorporar la nata. Sazonar.

3 Poner las rodajas de queso de cabra sobre las rebanadas de pan y volver a tostar. Servir la sopa en platos hondos y colocar encima un par de tostadas con queso de cabra.

Es mejor no cocer demasiado los fideos para que no se rompan al envolver las gambas. Servir con una hierba de intenso sabor como mizuna o rúcula.

Gambas envueltas en fideos crujientes con mermelada de tomate

50 g de fideos finos de huevo
16 gambas grandes crudas peladas y con cola
1 clara de huevo
aceite vegetal para freír

MERMELADA DE TOMATE
5 tomates grandes cortados en 4
2 chiles rojos un poco picados
3 dientes de ajo
4 cm de raíz de jengibre pelada y un poco picada
2 cucharadas de salsa de pescado
75 g de azúcar moreno
3 cucharadas de vinagre de vino tinto

40 minutos • 4 raciones

1 Hacer un puré homogéneo con los ingredientes para la mermelada de tomate en un robot de cocina. Verter en una cazuela pequeña, añadir 4 cucharadas de agua y hervir a fuego lento hasta que espese (unos 30 minutos).
2 Hervir los fideos en agua salada 2 minutos. Pasar por agua fría, escurrir y poner a secar sobre un trapo.
3 Untar las gambas de clara de huevo con una brocha y envolver luego cada gamba con un par de fideos hasta la cola.
4 Sazonar y poner sobre una bandeja. Calentar unos 5 cm de aceite en un wok o una sartén pequeña sin esperar a que humee (un dado de pan se dorará en 30 segundos). Freír las gambas 1 minuto o hasta que se doren y luego secar en papel de cocina. Servir con la mermelada de tomate como salsa.

Los brotes de brécol de principios de temporada pueden cocerse enteros, pero más adelante quizá deba pelarse el tallo.

Brotes de brécol morado con jamón serrano y huevo

8 lonchas de jamón serrano
500 g de brotes de brécol morado
aceite de oliva para aliñar
vinagre balsámico para aliñar
1 puñado de queso parmesano
o grana padano rallado
4 huevos escalfados

30 minutos • 4 raciones

1 Freír el jamón a la parrilla hasta que quede crujiente. Cocer el brécol al vapor hasta que se ablande, pero conserve un intenso color verde (probar un tallo con la punta de un cuchillo). Repartir en 4 platos y aliñar con un poco de aceite de oliva y de vinagre balsámico.
2 Poner trozos de jamón y de parmesano sobre el brécol. Escalfar los huevos en una sartén con agua hirviendo a fuego lento durante (2-3 minutos. Sacar, escurrir y servir un huevo en cada plato.
3 Espolvorear con sal marina y pimienta negra y servir.

La panceta es buena y barata, se cocina bien y con ella se consigue un plato realmente crujiente. Para lograrlo, la corteza ha de estar realmente seca.

Panceta de cerdo crujiente con orejones condimentados

1 pieza de panceta fresca de 1 kg con la corteza marcada
1 cucharada de polvo de cinco especias chinos
2 cucharaditas de azúcar moreno
12 orejones partidos por la mitad
1 chile seco
1 bastoncito de canela
500 g de verduras cocidas al vapor para servir, como acelgas o col rizada

1 hora y 15 minutos • 4 raciones

1 Precalentar el horno a 200 °C. Si la corteza de la panceta no está marcada, trazar líneas en diagonal con un cuchillo muy afilado. Mezclar el polvo de cinco especias con el azúcar y frotar bien la corteza de la panceta con la mezcla. Poner la panceta con la corteza hacia arriba en una bandeja de horno y asar durante 1 hora o hasta que se haga por dentro y por fuera y la corteza quede crujiente (si no lo está, poner brevemente bajo el gratinador caliente). Dejar en reposo 15 minutos antes de servir.

2 Mientras se hace la panceta, poner los orejones, el chile (entero) y la canela en una cazuela con 100 ml de agua y llevar a ebullición a fuego lento, luego cocer 8 minutos con la tapa puesta o hasta que los orejones estén muy blandos. Quitar la tapa y cocer hasta que el líquido casi se haya evaporado del todo. Cortar la panceta en 4 porciones y servir con las verduras y los orejones.

Este plato puede prepararse con antelación,
meterse en la nevera y hornearlo en el último minuto;
serán necesarios de 5 a 10 minutos más en el horno.

Queso brie en hojaldre

300 g de queso brie o coulommiers
500 g de masa de hojaldre (utilizar una masa de hojaldre con mantequilla para obtener mejor sabor)
1 cucharada de chutney de tomate o de chalotas
1 yema de huevo batida
lechuga aliñada con vinagreta para servir

1 hora • 4 raciones

1 Precalentar el horno a 220 °C. Sacar el queso de la nevera y desenvolverlo antes de empezar. Cortar la masa en dos y aplanar cada mitad con el rodillo sobre una superficie enharinada. Hacer una mitad 1 cm mayor que el diámetro del queso, y la otra un poco más fina y unos 3 cm mayor que el diámetro del queso.
2 Poner la mitad más pequeña en una placa de horno con el queso en el centro. Untar el queso con chutney. Humedecer la masa en torno al queso con agua. Colocar la otra mitad encima, alisar y apretar contra la mitad inferior. Cortar el sobrante alrededor de la masa con un cuchillo afilado dejando 1 cm de borde para enrollarlo hacia arriba. Pintar con la yema de huevo y marcar unas líneas en forma de remolino empezando desde el centro hacia fuera.
3 Hornear 10 minutos, bajar el horno a 180 °C y hornear 20 minutos más, o hasta que la masa suba y se dore. Dejar en reposo 10 minutos antes de cortar. Partir en cuartos y servir con la lechuga.

Los pollos picantones son pollos de un mes de vida.
Es mejor comprarlos de corral.

Pollos picantones con cinco especias, jengibre y soja

3 pollos picantones
4 cucharadas de miel
1 cucharadita de polvo de cinco especias chinas
aceite vegetal
5 dientes de ajo pelados y cortados en juliana
1 trozo de raíz de jengibre cortado en palitos
250 ml de caldo de pollo
125 ml de vino tinto
100 ml de salsa de soja
4 cebolletas cortadas en juliana para aderezar
2 chiles rojos cortados en juliana fina para aderezar

1 hora y 10 minutos • 6 raciones

1 Precalentar el horno a 180 °C. Salpimentar los pollos picantones, colocarlos en una fuente de horno grande y echarles la miel y el polvo de cinco especias por encima. Calentar 2 cucharadas de aceite en una sartén, freír el ajo y el jengibre 2 minutos, y luego echar sobre los pollos y cubrir con papel de aluminio.
2 Asar 30 minutos, luego quitar el papel de aluminio, subir el horno a 220 °C y asar 20 minutos más.
3 Cortar cada pollo en dos con un cuchillo afilado o unas tijeras de cocina y echar un poco de salsa por encima. Aderezar con las cebolletas y los chiles.

Los muslos de pato son más baratos que la pechuga de pato y son muy fáciles de cocinar.

Muslo de pato asado con puré de boniatos

6 muslos de pato pinchados repetidamente con un tenedor
12 chalotas
2 hojas de laurel
¼ de cucharadita de pimienta de Jamaica
300 ml de vino blanco
1 ramita de perejil picado para aderezar

PURÉ DE BONIATOS
1 kg de boniatos pelados y troceados
mantequilla
nuez moscada entera

1 hora y 30 minutos • 6 raciones

1 Precalentar el horno a 190 °C. Poner los muslos de pato en una bandeja de horno grande y colocar las chalotas y las hojas de laurel alrededor. Mezclar la pimienta de Jamaica con ½ cucharadita de sal y echar un poco por encima de cada muslo. Asar durante 1 hora.
2 Sacar casi toda la grasa con una cuchara (guardar para asar patatas si se desea), luego agregar el vino y devolver al horno 20 minutos más.
3 Mientras tanto, hervir al vapor o a fuego lento los boniatos hasta que queden blandos, luego hacer puré con un trozo grande de mantequilla y un poco de nuez moscada rallada y sazonar bien. Poner una cucharada grande de puré en cada plato y apoyar un muslo de pato en ella, añadir unas chalotas y salsa, y espolvorear con perejil.

La pasta puede hacerse con un día de antelación y guardarse en la nevera hasta que se necesite.

Mejillones al estilo tai

2 kg de mejillones limpios
6 cebolletas troceadas
2 tallos de hierba de limón con las primeras capas quitadas y troceados
1 trozo de raíz de jengibre troceado
2 dientes de ajo pelados
4 chiles verdes troceados
1 ramita grande de cilantro fresco con raíces
aceite de cacahuete
400 ml de leche de coco
2 cucharadas de caldo de pescado
el zumo de 1 limón
1 chile rojo cortado en juliana fina para aderezar

30 minutos • 4 raciones

1 Dar unos golpecitos en los mejillones abiertos y tirar los que no se cierren.
2 Echar cebolletas, hierba de limón, jengibre, ajo, chiles verdes y raíces de cilantro en un robot de cocina y batir hasta formar una pasta. Agregar un chorrito de agua si es necesario.
3 Calentar 2 cucharadas de aceite de cacahuete en una cazuela grande con tapa. Freír la pasta durante 2-3 minutos. Agregar la leche de coco, el caldo de pescado y el zumo de limón y llevar a un hervor suave. Añadir los mejillones, poner la tapa y hervir al vapor durante 3-4 minutos hasta que los mejillones se abran. Tirar los que sigan cerrados. Servir los mejillones aderezados con las hojas de cilantro y el chile rojo.

Si los extremos del solomillo son más finos, dóblalos y átalo todo con un cordel. Cuanto más tiempo pase la carne en adobo, más sabor adquirirá.

Solomillo de buey asado con chalotas y champiñones

2 cucharadas de aceite de soja
1 cucharada de vinagre de vino tinto
6 cucharadas de aceite de oliva virgen extra
8 dientes de ajo pelados: 4 machacados y 4 enteros
1 solomillo de buey de 1,75 kg aproximadamente
10 chalotas pequeñas peladas
1 ramita pequeño de romero fresco sin los tallos
350 g de setas variadas como rebozuelos, gírgolas o champiñones portobello, partidas por la mitad o en cuartos si son grandes

1 hora y 30 minutos + marinado, hasta 24 horas • 8 raciones

1 Mezclar 1 cucharada de soja, el vinagre y 3 cucharadas de aceite de oliva con 4 dientes de ajo machacados. Sazonar la carne con mucha sal y poner en una bolsa de plástico grande con cierre junto con el adobo. Meter en la nevera 1 hora como mínimo y 24 como máximo.
2 Dejar que la carne vuelva a temperatura ambiente un par de horas antes de asarla. Secarla y volverla a sazonar. Precalentar el horno a 200 °C. Calentar 1 cucharada de aceite de oliva en una sartén de fondo grueso y freír la carne; colocarla en una fuente de horno grande con las chalotas. Espolvorear con la mitad del romero y asar 24 minutos si se quiere poco hecha (10 más si se quiere al punto), tapar con papel de aluminio y un paño mientras se preparan las setas.
3 Mezclar las setas con el resto del aceite de oliva, la salsa de soja, los dientes de ajo y el romero. Echar la mezcla en una bandeja de horno grande, sazonar y asar en el horno durante 15 minutos. Cortar la carne en rodajas y servir con 1 puñado de setas y chalotas.

El koulibiac es un pastel tradicional ruso que suele rellenarse con salmón o esturión. En esta versión se ha usado trucha.

Trucha en pastel de hojaldre

2 filetes de trucha sin piel
250 g de arroz hervido (se necesitan 100 g de arroz crudo)
2 cebolletas cortadas en rodajas finas
3 huevos, 2 duros y picados y 1 batido para pintar
la ralladura y el zumo de 1 limón
2 cucharadas de hojas de eneldo picadas
500 g de masa de hojaldre

45 minutos • 4 raciones

1 Meter la trucha en el microondas en un plato cubierto con film transparente durante 3 minutos (o hervir durante 4 minutos). Desmenuzar en un cuenco y mezclar con el arroz, las cebolletas, el huevo duro, la ralladura y el zumo de limón y el eneldo. Sazonar.

2 Precalentar el horno a 200 °C. Extender la masa sobre una superficie enharinada hasta obtener el grosor de una moneda y dividirla en 2 (dividir en 2 primero si la superficie es pequeña). Colocar 1 mitad en una bandeja de horno untada de mantequilla, colocar la mezcla de trucha en el centro y extender hasta formar un rectángulo de 10 x 18 cm. Mojar el borde alrededor del relleno y colocar la otra mitad de masa encima. Apretar alrededor del relleno y cortar los bordes (usarlos para adornar). Pintar con huevo batido, hacer unos cortes sobre la superficie y hornear 30 minutos.

El tamaño del ganso crudo es engañoso. Contiene un montón de grasa que se derretirá en el horno haciendo que el ganso encoja.

Ganso asado con guindas y salsa de vino tinto

1 ganso de unos 4,5 kg preparado para asar
sal Maldon
1 cebolla partida en 4 trozos
1 ramita de romero fresco

SALSA DE GUINDAS
3 chalotas picadas finas
mantequilla
50 g de guindas
½ botella de vino tinto
250 ml de caldo de pollo
1 bastoncito de canela
3 cucharadas de mermelada de grosella

30 minutos + 2 horas–2 horas y 30 minutos en el horno

1 Precalentar el horno a 220 °C. Quitar el exceso de grasa del interior del ganso. Pinchar todo el ganso con un tenedor (sobre todo las partes más grasas) y luego frotar con la sal Maldon. Meter la cebolla y el romero dentro del ganso, y colocar el ganso sobre una trébede en una bandeja de horno grande. Asar 30 minutos y luego bajar el horno a 180 °C y asar durante 1½–2 horas más (sacar el exceso de grasa un par de veces mientras se asa). Para probar si el ganso está asado, pinchar la parte gruesa del muslo con una brocheta; ha de brotar el jugo limpiamente. Dejar 30 minutos en reposo antes de trinchar.

2 Mientras tanto, preparar la salsa. Freír las chalotas con un trozo de mantequilla hasta que se ablanden. Añadir el resto de ingredientes (menos la mermelada de grosella) y hervir a fuego lento hasta que tenga textura de jarabe. Incorporar la mermelada de grosella y otro trozo de mantequilla hasta que se derrita y se vuelva brillante. Servir con el ganso.

Para ahorrar tiempo, se puede comprar masa quebrada hecha. Las que llevan mantequilla tienen más sabor.

Empanadas de calabaza y salvia

1 cebolla pequeña cortada en varios trozos
1 diente de ajo picado fino
400 g de calabaza o calabaza moscada pelada y troceada
1 ramita de hojas de salvia troceadas
aceite de oliva
5 cucharadas de vino blanco seco
150 g de queso mascarpone
150 ml de caldo vegetal
1 huevo batido para pintar

MASA
150 g de harina
75 g de mantequilla fría y cortada en dados

1 hora • 2 raciones

1 Precalentar el horno a 200 °C. Para la masa, tamizar la harina sobre un cuenco grande con una pizca de sal. Incorporar la mantequilla con los dedos hasta formar grumos. Agregar 4-5 cucharadas de agua fría y mezclar hasta obtener una masa homogénea. Envolver con film transparente y poner a enfriar.
2 Echar la cebolla, el ajo, la calabaza y la salvia en una bandeja de horno grande. Sazonar. Echar 2 cucharadas de aceite y mezclar. Extender en una capa y asar 30 minutos, removiendo.
3 Poner la bandeja de horno sobre un fogón a fuego medio y echar el vino. Hervir a fuego lento hasta que se reduzca a la mitad y luego derretir el mascarpone. Incorporar el caldo vegetal y llevar a un hervor suave. Sacar del fuego.
4 Extender la masa con el rodillo y cortar 2 discos un poco más grandes que 2 moldes para tartas. Repartir el relleno entre los dos moldes y untar los bordes con huevo. Colocar los 2 discos de masa sobre el relleno y hacerles un reborde. Untar la masa con huevo batido y hornear durante 20-25 minutos.

Se suele pensar en el cordero como un plato de primavera, pero unos cuantos meses más en los pastos proporcionan una carne de mayor sabor.

Cordero con especias y puré de calabaza moscada

½ cucharada de semillas de comino
½ cucharada de semillas de cilantro
1 diente de ajo machacado
aceite de oliva
2 costillares de cordero, de 6 costillas, a la francesa
500 g de calabaza o calabaza moscada pelada y picada
mantequilla
1 ramita de hojas de cilantro picadas

40 minutos + marinado • 4 raciones

1 Machacar las especias en un mortero. Mezclar con el ajo y un chorro de aceite de oliva y sazonar, y frotar luego el cordero con la mezcla. Dejar 30 minutos en reposo.
2 Precalentar el horno a 200 °C. Asar el cordero 20 minutos si se quiere poco hecho, luego dejar 10 minutos en reposo.
3 Mientras tanto, hervir la calabaza hasta que se ablande y batir en un robot de cocina con un trozo de mantequilla y sal para hacerla puré. Incorporar el cilantro. Servir 3 costillas por plato con puré y verduras o ensalada.

Las manzanas verdes y harinosas se deshacen por completo y proporcionan una estupenda salsa para las salchichas.

Minipudines con salsa de manzana

2 cebollas cortadas en rodajas
aceite de oliva
1 manzana verde grande pelada, sin corazón y cortada en dados
500 ml de caldo de pollo
150 g de harina
2 huevos
300 ml de leche
unas cuantas agujas de romero picadas fino
12 salchichas finas

1 hora • 4 raciones

1 Sofreír las cebollas con un poco de aceite hasta que se caramelicen, durante 20-25 minutos como mínimo. Añadir la manzana y el caldo y cocer hasta que la manzana se deshaga por completo y espese la salsa (usar una cuchara si es necesario). Salpimentar.
2 Batir la harina con los huevos y la leche, salpimentar en abundancia y luego incorporar el romero.
3 Precalentar el horno a 220 °C. Dorar las salchichas y repartirlas en cuatro fuentes refractarias, poniendo 3 en cada una con 1 cucharada de aceite. Calentar en el horno 5 minutos y echar la mezcla y hornear durante 25-30 minutos hasta que suban y se doren.
4 Servir con la salsa.

Servir la tarta con un trozo de queso azul y una ensalada para disfrutar de un almuerzo vegetariano.

Tarta tatín de chalotas

50 g de mantequilla
500 g de chalotas peladas
4 cucharadas de vinagre balsámico
3 cucharadas de azúcar demerara
hojas de tomillo de 3 ramitas
500 g de masa de hojaldre con mantequilla

1 hora • 4 raciones

1 Calentar la mantequilla en una fuente refractaria en la que quepan todas las chalotas en una capa. Cocer a fuego medio hasta que empiecen a dorarse. Añadir el vinagre balsámico y el azúcar y una taza de agua. Seguir cociendo y añadiendo más agua si es necesario, hasta que las chalotas queden completamente cocidas y envueltas en la mezcla caramelizada de azúcar y vinagre balsámico. Echar las hojas de tomillo y mezclar. Salpimentar.
2 Precalentar el horno a 200 °C. Extender la masa con el rodillo hasta obtener el grosor de una moneda. Cortar un disco algo mayor que la fuente y luego colocarlo sobre las chalotas y remeter los bordes. Hornear durante 20-25 minutos hasta que la masa suba, se dore y quede crujiente. Volcar sobre un plato y servir en porciones.

El grana padano es más barato que el parmesano y queda igual de bien en los platos italianos.

Risotto con limón, calabacín y albahaca

4 cucharadas de aceite de oliva
1 cebolla picada
1 diente de ajo picado
500 g de calabacines en rodajas
500 g de arroz arborio
1,2 litros de caldo vegetal caliente
la ralladura y el zumo de 2 limones
100 g de grana padano o parmesano recién rallado
1 puñado pequeño de hojas de albahaca en trozos para aderezar

40 minutos • 12 raciones

1 Precalentar el horno a 180 °C. Calentar el aceite en una fuente refractaria con tapa y freír la cebolla y el ajo 5 minutos. Incorporar el calabacín y el arroz, mezclándolo todo con el aceite y dejándolo al fuego unos minutos más. Añadir el caldo, el zumo de limón y el queso, tapar y meter en el horno 30 minutos.
2 Servir espolvoreando por encima la albahaca y la ralladura de limón.

Para descongelar los guisantes rápidamente, ponlos en un colador y echa por encima agua hirviendo.

Pastel de hojaldre con guisantes, estragón y queso

500 g de masa de hojaldre
1 cebolla picada fina
mantequilla
150 g de guisantes, descongelados
125 g de queso para untar batido hasta hacerlo homogéneo
1 puñado pequeño de hojas de estragón picadas
1 puñado de perejil picado
la ralladura de ½ limón
1 huevo batido

50 minutos + enfriar • 2 raciones

1 Extender la masa y cortar 2 discos de 14 cm de diámetro y otros dos de 16 cm.
2 Sofreír la cebolla en un poco de mantequilla hasta que se ablande. Enfriar y mezclar con los guisantes, el queso, el estragón, el perejil y el limón.
3 Precalentar el horno a 200 °C. Colocar los 2 círculos de masa más pequeños en una bandeja de horno y amontonar el relleno en el centro. Untar los bordes con huevo y colocar los discos grandes encima. Apretar los bordes con un tenedor, trazar un dibujo en la parte superior y pintar con huevo. Hornear durante 25 minutos o hasta que suban y se doren.

Las almejas se deben consumir cuanto antes; si se ponen una o dos horas en agua con un poquito de sal soltarán toda la arena.

Linguini con almejas, chile y ajo

800 g de almejas limpias
300 g de linguini
aceite de oliva
2 dientes de ajo en rodajas
2 chiles rojos en rodajas finas
1 vaso de vino blanco
1 puñado pequeño de perejil picado

20 minutos • 4 raciones

1 Revisar las almejas; si hay alguna abierta, darle un golpecito y, si no se cierra, desechar. Cocer la pasta siguiendo las instrucciones del envase.
2 Calentar un buen chorro de aceite de oliva en una cazuela ancha con tapa. Añadir el ajo y el chile y sofreír un par de minutos. Echar las almejas y el vino, poner la tapa y dejar unos minutos hasta que se abran todas las almejas (tirar las que sigan cerradas).
3 Escurrir la pasta y echar en la cazuela de las almejas con el perejil. Removerlo todo bien y servir.

Se pueden añadir todo tipo de sabores dulces y salados a la masa de hojaldre comprada. Prueba con hierbas o con canela.

Tarta de tomates asados y parmesano

8-10 tomates pequeños de rama partidos por la mitad
aceite de oliva
500 g de masa de hojaldre
50 g de parmesano o grana padano rallado grueso
1 cucharada de mostaza de Dijon
2 cucharadas de mascarpone
2 dientes de ajo en rodajas
hojas de tomillo de 2 ramitas picadas
1 huevo batido para pintar

1 hora • 6 raciones

1 Precalentar el horno a 200 °C. Salpimentar los tomates, rociar con aceite y luego ponerlos con el lado cortado hacia abajo en una bandeja de horno antiadherente. Asar 10 minutos. Enfriar y quitarles la piel.

2 Extender la masa hasta obtener el grosor de una moneda. Espolvorear la mitad del queso por encima, doblar por la mitad y volver a extender hasta el mismo grosor de antes. Espolvorear el resto del queso, doblar y volver a extender. Cortar un disco de unos 28 cm usando un plato llano como guía. Marcar una línea a 1 cm y medio del borde.

3 Mezclar la mostaza con el mascarpone y untar el disco por dentro de la línea marcada. Colocar las mitades de tomate con el lado cortado hacia arriba dentro de la línea. Sazonar, espolvorear el ajo y el tomillo por encima y rociar con aceite de oliva. Pintar los bordes con huevo y hornear durante 30-40 minutos hasta que la masa esté dorada y crujiente.

El plato saldrá igual de bueno si usas muslos de pollo. Se necesitarán 8 filetes de muslo sin piel.

Pilaf de pollo

50 g de mantequilla
4 pechugas de pollo sin piel y troceadas
2 cebollas partidas por la mitad y en rodajas
3 dientes de ajo en rodajas
1 bastoncito de canela
5 vainas de cardamomo un poco machacadas
4 clavos enteros
500 ml de caldo de pollo mezclado con una pizca de azafrán
300 g de arroz basmati
1 puñado de hojas de cilantro un poco picadas para aderezar

50 minutos • 4 raciones

1 Calentar la mitad de la mantequilla en una cazuela ancha con tapa. Dorar los trozos de pollo por tandas y dejar aparte. Añadir el resto de la mantequilla, echar las cebollas y sofreír a fuego muy lento hasta que se ablanden del todo y se doren (unos 10 minutos).

2 Añadir el ajo y sofreír 2 minutos. Añadir la canela, las vainas de cardamomo y los clavos y sofreír 1 minuto. Añadir el caldo de pollo y los trozos de pollo y remover. Echar el arroz y remover bien.

3 Poner la tapa (si no cierra bien del todo, poner debajo papel de aluminio) y cocer a fuego muy lento durante 15-20 minutos hasta que se absorba todo el líquido y el arroz esté hecho. Echar el cilantro por encima y servir.

La polenta instantánea es mucho más fina que la normal y el rebozado queda más crujiente.

Cordero rebozado con hierbas y polenta

6 chuletas de cordero sin grasa
4 cucharadas de harina salpimentada
1 huevo batido
6 cucharadas de polenta instantánea mezclada con 1 cucharada de romero picado fino
aceite de oliva para freír y aliñar
berros para servir
gajos y zumo de 1 limón para servir

15 minutos • 2 raciones

1 Pasar las chuletas de cordero por la harina, luego el huevo y a continuación la mezcla de polenta y romero. Calentar un poco de aceite de oliva en una sartén y sofreír las chuletas durante 2-3 minutos por cada lado para que queden crujientes y un poco doradas. Servir con berros aliñados con aceite de oliva y zumo de limón, Adornar con gajos de limón.

El escabeche se añade a carnes o pescados que se fríen previamente, y se sirve frío o a temperatura ambiente. Existen diversas variantes en la cocina española, en la peruana o la provenzal.

Salmonetes en escabeche

4 filetes de salmonetes con la piel y limpios de escamas
aceite

ESCABECHE
1 cebolla roja pequeña en rodajas
1 chile rojo en juliana fina
1 hoja de laurel
½ cucharada de semillas de cilantro un poco machacadas
1 cucharada de vinagre de vino blanco
1 vaso pequeño de vino blanco

20 minutos • 4 raciones

1 Calentar todos los ingredientes del escabeche mezclados.
2 Freír los filetes de salmonete 2 minutos por cada lado en un poco de aceite.
3 Colocar los filetes en una bandeja de horno en una sola capa y verter el escabeche por encima. Dejar enfriar y servir a temperatura ambiente. (En la nevera se conservan durante 1-2 días.)

Los tarros de puré de tamarindo se encuentran en la sección de especias o de comida asiática de la mayoría de grandes supermercados.

Salmón a la parrilla con tamarindo, hierba de limón, chile y jengibre

100 g de puré de tamarindo
2 tallos de hierba de limón en rodajas (sin las capas más leñosas)
1 chile rojo pequeño sin semillas y picado fino
3 cm de raíz de jengibre rallada
3 cucharadas de azúcar de palma o miel
1 puñado pequeño de hojas de menta picadas
1 pieza de salmón de 700 g con la piel
1 puñado pequeño de hojas de cilantro picadas para aderezar

25 minutos • 6 raciones

1 Mezclar puré de tamarindo, hierba de limón, chile, jengibre, azúcar de palma y menta en un cuenco. Poner el salmón en un trozo de papel de aluminio engrasado o en una hoja de plátano (se encuentran en la sección de congelados de los supermercados asiáticos).
2 Untar el salmón con una gruesa capa de salsa y hacer a la parrilla durante 10 minutos.
3 Servir con el cilantro por encima y un cuenco de aliño al lado para mojar.

El estragón puede variar mucho en la intensidad de su sabor, de modo que es mejor probarlo antes de añadirlo.

Pollo con vino, estragón y judías verdes

aceite de oliva
4 pechugas de pollo con la piel
2 chalotas en rodajas finas
300 ml de vino blanco
100 g de mantequilla fría en dados
hojas de estragón de 1 ramita pequeña
300 g de judías verdes redondas escaldadas 2 minutos y escurridas

30 minutos • 4 raciones

1 Calentar un poco de aceite en una sartén grande antiadherente. Salpimentar las pechugas de pollo y freírlas con la piel hacia abajo hasta que quedén crujientes y doradas. Dar la vuelta y freír hasta que el pollo esté hecho, unos 8 minutos; sacar del fuego y mantener calientes en el horno a baja temperatura.
2 Echar las chalotas en la sartén donde se frio el pollo y dejar que se ablanden. Añadir el vino y hervir a fuego lento hasta que se reduzca a la mitad.
3 Incorporar la mantequilla, añadir el estragón y las judías, remover y salpimentar. Servir el pollo con las judías.

Al hacer los cortes en la piel del pato, pierde más grasa y la piel se vuelve más crujiente.

Pato con salsa hoisin

4 cucharadas de salsa hoisin
1 cucharada de polvo de cinco especias chinas
2 pechugas de pato con la piel
aceite
2 cucharadas de semillas de sésamo
1 pimiento verde sin semillas y cortado en juliana
3 cebolletas cortadas en juliana
2 zanahorias cortadas en juliana (usar un pelapatatas)
2 cucharadas de aceite de sésamo

25 minutos • 2 raciones

1 Mezclar la salsa hoisin y el polvo de cinco especias en un cuenco. Hacer cortes en la piel del pato en diagonal y adobar en la salsa durante 10 minutos.
2 Calentar un poco de aceite en una sartén antiadherente. Sacudir el exceso de adobo de las pechugas y luego ponerlas en la sartén con la piel hacia abajo y freír durante 5-7 minutos hasta que la piel se vuelva crujiente. Bajar a fuego medio, dar la vuelta al pato y untar con el resto del adobo hasta que se haga por completo, unos 10 minutos.
3 Mientras tanto, tostar ligeramente las semillas de sésamo en una sartén. Mezclar las hortalizas con las semillas y el aceite de sésamo.
4 Servir las pechugas con la ensalada.

Pueden utilizarse corazones de alcachofas precocinados enlatados o en tarros con aceite de oliva. Evita para esta receta los que llevan demasiados aditivos.

Tarta de alcachofas con tocino

- 375 g de masa quebrada
- 6 lonchas de tocino en trocitos
- 1 cebolla pequeña en rodajas
- mantequilla
- 6 corazones de alcachofa cocidos y partidos por la mitad
- 4 huevos
- 100 ml de nata para montar
- 50 g de parmesano recién rallado
- 1 puñado pequeño de hojas de perejil picadas

1 hora y 15 minutos • 4 raciones

1 Precalentar el horno a 190 ºC. Usar la masa para forrar un molde de tarta de 24 cm. Hornear con alubias secas durante 10-15 minutos y dejar enfriar.

2 Bajar el horno a 180 ºC. Mientras tanto, rehogar el tocino y la cebolla en un poco de mantequilla hasta que se ablanden y poner luego en el molde con las alcachofas.

3 Batir los huevos con la nata y 30 g de parmesano, añadir el perejil, sazonar bien y verter sobre el relleno. Espolvorear el resto del parmesano por encima. Hornear durante 25-30 minutos o hasta que cuaje. Servir caliente.

Pide en la carnicería que le hagan buenos cortes a la piel para que la carne quede muy crujiente.

Lomo de cerdo relleno con orejones, salvia y piñones

mantequilla
2 tallos de apio en trozos
1 cebolla mediana picada
3 cucharadas de hojas de salvia picadas
2 cucharadas de hojas de tomillo picadas
30 g de pan francés cortado en dados
30 g de piñones
10 orejones enteros en trocitos
2 kg de lomo de cerdo deshuesado y abierto por la mitad

2 horas y 30 minutos • 6 raciones

1 Precalentar el horno a 180 °C. Derretir un trozo de mantequilla en una sartén y añadir el apio, la cebolla, 1 cucharada de salvia y 1 cucharada de tomillo. Salpimentar y rehogar unos 5 minutos hasta que se ablanden. Echar el pan, los piñones y los orejones en un cuenco y verter la mezcla de cebolla por encima. Salpimentar de nuevo y mezclar bien. Colocar el lomo bien abierto y extender el relleno por encima. Enrollar y atar con cordel.

2 Espolvorear el resto del tomillo y la salvia por encima de la carne rellena y salpimentar. Poner en una bandeja de horno y asar 2 horas. Dejar 20 minutos en reposo. Quitar el cordel y cortar en rodajas gruesas.

El dolcelatte es un magnífico y cremoso queso azul, pero también puede usarse gorgonzola o un stilton cremoso.

Tartaletas de peras y queso azul cremoso

500 g de masa de hojaldre comprada
75 g de queso azul cremoso
4 cucharadas de mascarpone
2 peras peladas, sin el corazón
y cortadas a lo largo
1 huevo batido para pintar
3 cucharadas de piñones
hojas de tomillo de 2 ramitas
miel clara para aderezar

50 minutos • 4 raciones

1 Precalentar el horno a 200 °C. Extender la masa con el rodillo y cortar 4 discos de unos 14 cm de diámetro. Marcar una línea a un dedo de distancia del borde de cada disco.

2 Hacer puré con el dolcelatte y el mascarpone juntos y untar por dentro de la línea marcada en los discos. Colocar rodajas de pera por encima y pintar el borde con huevo. Hornear 10 minutos hasta que suban y se doren. Verter un poco de miel por encima antes de servir.

La pintada tiene un sabor más intenso que el pollo, por lo que resiste bien los adobos fuertes.

Pintada marinada

2 pintadas

MARINADA
4 chiles rojos picados finos
el zumo de 2 limas
3 dientes de ajo machacados
1 cucharadita de cilantro molido
1 cucharadita de canela molida
1 cucharadita de jengibre molido
1 puñado pequeño de hojas de perejil picadas
ensalada o patatas salteadas para servir

1 hora + tiempo de adobo

1 Poner las pintadas en un plato llano, mezclar los ingredientes de la marinada y verter por encima. Meter en la nevera un par de horas o toda la noche si es posible.
2 Precalentar el horno a 200 °C. Poner las pintadas en una bandeja de horno con la piel hacia arriba y verter la marinada por encima.
3 Asar unos 45 minutos (bañando de vez en cuando en el adobo) hasta que estén crujientes y bien hechas. Cortar en cuartos (dejando el hueso) y servir con ensalada o patatas salteadas.

Deja las tartas en la sartén 5 minutos antes de volcarlas para que cuajen bien.

Tarta tatín de tomate y estragón

8 tomates partidos por la mitad
2 cucharadas de hojas de estragón un poco picadas y unas cuantas hojas más para servir
50 g de mantequilla sin sal
1 cucharada de vinagre balsámico
375 g de masa de hojaldre comprada

20 minutos + 2 horas y 30 minutos en el horno

1 Precalentar el horno a 140 °C. Colocar los tomates con la parte cortada hacia arriba en una rejilla sobre una bandeja de horno. Espolvorear sal marina y las hojas de estragón por encima. Asar en el horno 2 horas hasta que estén semisecos.
2 Sacar del horno y aumentar la temperatura a 200 °C.
3 Repartir la mantequilla entre 2 sartenes refractarias (de 18 cm) o 1 más grande y colocar sobre fuego medio. Cuando la mantequilla espumee, incorporar el vinagre balsámico y salpimentar.
4 Repartir los tomates entre las dos sartenes, colocándolos en una sola capa con la parte cortada hacia abajo. Sacar del fuego. Cortar dos discos de masa lo bastante grandes para tapar los tomates y colocar por encima, apretando ligeramente. Hornear durante 20-30 minutos hasta que la masa suba y se dore. Volcar las tartas con cuidado sobre los platos. Esparcir el estragón por encima y servir.

Para conseguir rallar pan rápidamente, es mejor picarlo en trozos y después triturarlo en el robot de cocina.

Calabaza asada con pan rallado, chile y salvia

2 calabazas moscadas sin semillas y cortadas finas a lo largo
80 g de pan recién rallado
aceite de oliva
2 dientes de ajo cortados en juliana
1 chile rojo cortado en juliana
1 ramita de hojas de salvia
3 cucharadas de grana padano recién rallado

45 minutos • 12 raciones

1 Precalentar el horno a 200 °C. Poner la calabaza en una bandeja de horno. Mezclar el pan rallado con 2 cucharadas de aceite de oliva y sazonar. Esparcir el ajo, el chile y la salvia sobre la calabaza, echar dos cucharadas de aceite por encima, sazonar y cubrir con pan rallado y el queso. Asar durante 35-40 minutos hasta que la calabaza se ablande y se dore.

Los *peppadew* (pimientos rojos encurtidos que se venden envasados en tiendas delicatessen) añaden un toque picante y crujiente a la ensalada.

Ensalada de verduras

200 g de hojas de lechugas variadas
100 g de corazones de alcachofas escurridos
50 g de pimientos *peppadew* escurridos
½ apio cortado en juliana
1 cebolla roja pequeña cortada en rodajas

ALIÑO
2 cucharadas de vinagre de vino tinto
3 cucharadas de aceite de oliva virgen extra
½ diente de ajo machacado
½ cucharadita de mostaza de Dijon
½ cucharadita de azúcar extrafino

15 minutos • 6 raciones

1 Poner las lechugas variadas, los corazones de alcachofas, los *peppadews*, el apio y la cebolla en una fuente. Echar los ingredientes del aliño en un tarro de cristal con tapa hermética, salpimentar, cerrar y agitar bien. Verter sobre la ensalada justo antes de servir y remover.

Las achicorias rojas y alargadas, llamadas de Treviso, tienen un sabor más suave que el de la variedad redonda y dan muy buen resultado.

Achicoria roja con alcaparras y salsa de vinagre balsámico

2 achicorias rojas
aceite de oliva
100 ml de caldo de pollo o vegetal
15 g de mantequilla
2 cucharadas de alcaparras lavadas y escurridas
3 chalotas cortadas en rodajas finas
4 cucharadas de vinagre balsámico (de buena calidad)
1 buen puñado de perejil picado

20 minutos • 4 raciones

1 Partir las achicorias en cuartos y colocarlas en una bandeja de horno con la parte cortada hacia arriba. Pintar con un poco de aceite, verter el caldo por encima y gratinar a temperatura media durante 10 minutos o hasta que la achicoria se ablande.

2 Calentar la mantequilla en una sartén y añadir las alcaparras y las chalotas, freír someramente, incorporar el vinagre balsámico y cuando rompa a hervir, añadir el perejil. Verter sobre las achicorias. Servir con carne asada o a la parrilla, o bien rebanadas de pan de masa fermentada.

Para los invitados vegetarianos, sustituir el caldo de pollo por caldo vegetal y eliminar el jamón serrano.

Guisantes con puerros tiernos, jamón serrano y estragón

8 puerros tiernos con las puntas cortadas o 16 cebollas tiernos o chalotas pequeñas peladas
mantequilla
200 ml de caldo de pollo
500 g de guisantes congelados
142 ml de nata para montar
2 cucharadas de hojas de estragón picadas
6 lonchas de jamón serrano a la parrilla hasta que estén crujientes

30 minutos • 4 raciones

1 Freír los puerros o las cebollas en una cazuela grande con un trozo de mantequilla, sal y pimienta durante unos 5 minutos hasta que empiecen a tomar color. Añadir el caldo, tapar y hervir a fuego lento hasta que se ablanden los puerros y el caldo se reduzca. Añadir los guisantes, la nata y el estragón, y hervir a fuego lento sin tapar hasta que se cuezan los guisantes. Servir con el jamón crujiente.

Es mejor invertir en una buena bandeja de horno antiadherente. Las baratas se comban y la manteca no se distribuye uniformemente para asar las patatas.

Patatas asadas en manteca de ganso

6 cucharadas de manteca de ganso o de pato
2 kg de patatas peladas y cortadas con un tamaño similar
hojas de romero de 2 ramitas (opcional)
sal Maldon

1 hora y 20 minutos • 8 raciones

1 Precalentar a 200 °C. Poner la manteca en una bandeja para calentarla en el horno. Echar las patatas en una cazuela de agua hirviendo, cocer 5 minutos y luego escurrir bien. Sacudir las patatas en el colador para deshacer un poco los bordes y echarlas luego en la manteca caliente, moviéndolas para untarlas bien. Hornear 50 minutos más o hasta que estén doradas y crujientes. Darles la vuelta hacia la mitad y añadir el romero (si se usa). Escurrir en papel de cocina y espolvorear con la sal Maldon antes de servir.

No debería ser necesario sacar los corazones fibrosos de las chirivías si son tiernas, pero es mejor sacarlos cuando están más maduras.

Rösti de patatas y chirivías

200 g de patatas peladas y ralladas
200 g de chirivías pequeñas, peladas y ralladas
½ cebolla rallada
hojas de tomillo de 2 ramitas
25 g de mantequilla derretida y un poco más para freír

40 minutos • 2 raciones

1 Poner las patatas ralladas en un paño limpio y apretar para eliminar el exceso de agua. Echar en un cuenco con las chirivías, la cebolla, el tomillo y la mantequilla derretida. Salpimentar profusamente y mezclar.

2 Calentar una sartén antiadherente, echar la mezcla y apretar con una espátula. Cocer durante 6-8 minutos hasta que quede dorada y crujiente por debajo. Volcar el rösti en un plato y luego volver a ponerlo en la sartén del otro lado durante 6-8 minutos más hasta que esté completamente hecho.

Si quieres convertir la ensalada en el plato principal, añade unos trozos de pollo.

Ensalada Waldorf

- 2 manzanas rojas peladas
- el zumo de ½ limón
- 4 cucharadas de mayonesa
- 1 cucharada de mostaza de Dijon
- 2 tallos de apio troceados
- 1 puñado de nueces partidas por la mitad
- 1 par de puñados de berros

20 minutos • 2 raciones

1 Cortar la manzana en trozos y mezclar con el zumo de limón.

2 Mezclar la mayonesa y la mostaza, y mezclarlas luego con los demás ingredientes.

Con una sidra no demasiado dulce se obtienen los mejores resultados.

Nabos al gratén con sidra, nata y tocino

284 ml de nata para montar
100 ml de sidra
1 cucharada de mostaza de Dijon
750 g de nabos tiernos pelados y cortados en rodajas
6 lonchas de tocino sin corteza cortadas en trocitos

50 minutos • 4 raciones

1 Precalentar el horno a 200 °C. Poner la nata y la sidra en una cazuela grande y hervir a fuego lento un par de minutos.

2 Salpimentar, añadir la mostaza y los nabos y cocer 5 minutos. Freír el tocino hasta que quede crujiente. Echar la mezcla de nabos y tocino en una fuente, dejando unos trozos de tocino por encima. Hornear durante 25-30 minutos hasta que se dore y chisporrotee.

Las anchoas y las alcaparras dan un toque salado y diferenciador a este plato tradicional de brécol.

Brécol con anchoas, alcaparras y chile

1 brécol partido en floretes
aceite de oliva
2 anchoas picadas
1 cucharada de alcaparras lavadas y escurridas
2 chiles rojos picados fino
2 dientes de ajo picados fino
3 rebanadas de pan de chapata sin la corteza y desmenuzadas

15 minutos • 4 raciones

1 Hervir los floretes de brécol al vapor durante 3-4 minutos hasta que se ablanden.
2 Calentar 2 cucharadas de aceite de oliva en una cazuela y añadir las anchoas, las alcaparras, el chile y la mitad de los ajos. Cocer a fuego lento durante 2-3 minutos. Calentar otras 2 cucharadas de aceite en una sartén y añadir el pan desmenuzado y el resto del ajo. Freír hasta que quede crujiente y dorado, y escurrir luego sobre papel de cocina.
3 Unir el brécol con la mezcla de anchoas, poner en los platos con el pan desmenuzado por encima y servir.

La cebolla adobada adquiere un sabor agridulce que no tiene cuando está cruda.

Ensalada de cebolla roja adobada, espinacas y piñones

1 cebolla roja partida por la mitad
y cortada en rodajas
1 cucharada de azúcar extrafino
2 cucharadas de vinagre de vino tinto
100 g de espinacas baby
4 cucharadas de piñones tostados
aceite de oliva
1 cucharadita de semillas de comino
150 ml de yogur natural

25 minutos • 4 raciones

1 Poner la cebolla roja en un cuenco y mezclar con el azúcar y el vinagre. Dejar durante 10-15 minutos para que se ablande. Poner las espinacas en una fuente grande. Escurrir la cebolla y esparcir sobre las espinacas con los piñones.

2 Calentar 2 cucharadas de aceite de oliva y añadir las semillas de comino. Cuando empiecen a saltar, sacar del fuego e incorporar el yogur. Echar por encima de la ensalada y servir.

La sal ayuda a quitar el exceso de agua del pepino y lo deja crujiente.

Pepino con nata y eneldo

1 pepino partido a lo largo por la mitad, sin pepitas y cortado luego en trozos gruesos al sesgo
1 cucharadita de escamas de sal marina
1 cebolla roja partida por la mitad y cortada finas
142 ml de nata con unas gotas de zumo de limón
1 ramita de eneldo picado fino, reservando un poco para aderezar (opcional)
1 cucharada de crema o salsa de rábanos picantes

25 minutos • 4 raciones

1 Poner el pepino en un colador sobre un cuenco grande. Sazonar con la sal y dejar 20 minutos en reposo. Poner el pepino en una fuente, añadir la cebolla, la nata, el eneldo y la crema de rábanos picantes, y sazonar con pimienta negra. Mezclarlo todo y servirlo espolvoreado con un poco más de eneldo si se desea.

Las judías verdes planas pueden cocerse poco para que queden algo duras, o cocerse lentamente en una salsa si se quieren blandas.

Judías verdes con tomate, ajo y chile

300 g de judías verdes
3 cucharadas de aceite de oliva
2 dientes de ajo en rodajas finas
1 pizca de chile seco en escamas
2 clavos
400 g de tomates escurridos
1 ramita de hojas de albahaca troceadas

40 minutos • 4 raciones

1 Pasar un pelapatatas por ambos lados de las judías para quitar las pieles. Cortar en trozos de 2 cm al sesgo.
2 Calentar el aceite de oliva en una sartén grande y añadir el ajo. Rehogar 2 minutos y añadir luego las judías, el chile y los clavos. Cocer 2 minutos y echar luego los tomates escurridos. Tapar y cocer durante 20-30 minutos hasta que las judías estén blandas y la salsa espese. Incorporar la albahaca justo antes de servir.

El trigo bulgur es un trigo cocido que luego se pone a secar. Es necesario ponerlo en remojo para ablandarlo.

Ensalada de bulgur, feta y hierbas

150 g de bulgur
1½ cucharadita de comino molido
100 g de queso feta
100 g de tomates cherry en cuartos
1 puñado de hojas de albahaca
2 cucharadas de cebollinos troceados
aceite de oliva virgen extra
el zumo de ½ lima

15 minutos • 2 raciones

1 Poner el bulgur en un cuenco con el comino y cubrir con agua hirviendo. Dejar 10 minutos a un lado para que se ablande y absorba el líquido. Escurrir.

2 Mientras tanto, desmenuzar el queso feta en un cuenco con los tomates y las hierbas. Añadir al bulgur y mezclar. Repartir en 2 platos y echar por encima un poco de aceite y un chorro de zumo de lima.

Al asarse en las bolsas, las patatas se impregnan mejor del sabor de la mantequilla y las hierbas.

Patatas nuevas horneadas en mantequilla

250 g de mantequilla blanda
1 ramita de perejil, estragón, albahaca y perifollo (utilizar una hierba o una mezcla)
2 dientes de ajo machacados
la ralladura de 1 limón
500 g de patatas nuevas de guarnición

50 minutos • 4 raciones

1 Poner la mantequilla, las hierbas, el ajo y la ralladura de limón en un robot de cocina y salpimentar. Batir y verter la mezcla sobre una hoja de film transparente. Enrollar en forma de salchicha. Envolver con papel de aluminio y meter en el congelador. La mantequilla se conservará un par de semanas en el congelador; cortar en rodajas para usarlas cuando se necesiten.
2 Precalentar el horno a 180 °C. Cortar 4 trozos de papel de horno. Poner un cuarto de las patatas en cada trozo de papel y un par de rodajas de mantequilla por encima. Hacer 4 paquetes. Ponerlos sobre una bandeja de horno y hornear durante 30-40 minutos. Servir en las bolsas.

Use calabacines pequeños o tiernos, ya que tienen menos agua y se asan más fácilmente.

Calabacines al horno con parmesano

8 calabacines pequeños partidos por la mitad a lo largo
4 tomates maduros picados
2 dientes de ajo machacados
1 chile sin semillas y picado fino
1 cucharadita de hojas de romero picadas fino
4 cucharadas de pan rallado mezclado con 6 cucharadas de parmesano recién rallado

1 hora y 10 minutos • 4 raciones

1 Precalentar el horno a 200 °C. Sacar las semillas de los calabacines con una cucharita para obtener 16 «barquitos». Poner en 1 fuente refractaria grande o 2 pequeñas y sazonar. Mezclar los tomates, el ajo, el chile y el romero con un chorrito de aceite y sazonar.

2 Rellenar los calabacines con la mezcla y cubrir luego las fuentes con papel de aluminio. Hornear 30 minutos o hasta que se ablanden, luego quitar el papel de aluminio y espolvorear con el pan y el parmesano rallados. Rociar con aceite de oliva y hornear 20 minutos más hasta que queden dorados y crujientes.

Las judías verdes redondas son el contrapunto perfecto para las especias, se cuecen rápidamente y mejoran con un toque picante.

Judías verdes con especias

300 g de judías verdes redondas
2 cucharadas de aceite de cacahuete
1 trozo de raíz de jengibre cortado en tiras largas y finas
1 diente de ajo picado fino
1 pizca de chile seco en escamas
2 cucharaditas de semillas de mostaza negra

15 minutos • 4 raciones

1 Escaldar las judías 2 minutos en agua hirviendo, lavar con agua fría y escurrir. Calentar el aceite y rehogar el jengibre y el ajo 2 minutos sin que se quemen. Subir un poco el fuego, añadir el chile y las semillas de mostaza, y remover hasta que las semillas empiecen a abrirse. Añadir las judías y calentarlas.

El leicester rojo le da un intenso sabor a las patatas gratinadas y un vistoso color naranja.

Patatas gratinadas con ajo y queso leicester rojo

mantequilla para engrasar
5 patatas grandes (1,2 kg aprox.) cortadas en trozos de 2 cm
1 diente de ajo picado
1 cebolla picada
2 cucharadas de aceite de oliva
150 ml de nata
125 ml de leche
200 g de queso para rallar como leicester rojo o cheddar
30 g de parmesano recién rallado

1 hora • 6 raciones

1 Precalentar el horno a 160 °C. Engrasar 6 moldes redondos pequeños o una fuente grande. Rallar el queso leicester rojo.

2 Hervir las patatas en agua salada hasta que se ablanden y escurrir. Rehogar el ajo y la cebolla en un poco de aceite de oliva durante 5 minutos hasta que se ablanden.

3 Mezclar la nata y la leche en un cuenco grande e incorporar las patatas, la mezcla de ajo y cebolla y los dos quesos. Verter en los moldes o la fuente de horno y hornear durante 45-50 minutos hasta que estén dorados y chisporroteen. Dejar enfriar 10 minutos antes de servir.

Puede usar remolacha cocida para ahorrar tiempo. Solo hay que añadir al aliño ½ cucharadita de semillas de comino tostadas.

Ensalada de canónigos, naranja y remolacha asada

4 remolachas medianas
aceite de oliva
½ cucharadita de semillas de comino
100 g de canónigos
2 naranjas en gajos
½ cebolla roja en rodajas

ALIÑO
3 cucharadas de aceite de oliva
1 cucharada de vinagre de vino tinto
1 cucharada de zumo de naranja recién exprimido
2 cucharaditas de mostaza en grano

1 hora • 4 raciones

1 Precalentar el horno a 200 °C. Mezclar las remolachas con un poco de aceite y el comino y asar durante 40-50 minutos hasta que se ablanden. Dejar enfriar, pelar y trocear.

2 Colocar los canónigos, la remolacha, los gajos de naranja y la cebolla en una bandeja. Batir juntos los ingredientes del aliño y verter por encima.

Es preferible usar siempre nuez moscada entera. Se conserva mejor y se puede rallar cuando se necesita.

Boniatos gratinados

284 ml de nata para montar
1 pizca de nuez moscada rallada
1 pizca de chile seco en escamas
1 diente de ajo machacado
2 ramitas de romero fresco sin agujas picado
1 kg de boniatos pelados y cortados en rodajas finas

1 hora • 4 raciones

1 Precalentar el horno a 190 °C. Poner todos los ingredientes excepto los boniatos en una cazuela pequeña, salpimentar y dejar que casi llegue a ebullición. Colocar las rodajas de boniatos en una fuente refractaria poco honda y verter la crema por encima. Hornear durante 30-40 minutos hasta que se ablande el boniato y la superficie se dore y chisporrotee.

Se puede dejar la corteza de la calabaza, ya que es comestible y se ablanda al asarse.

Ensalada de calabaza moscada asada con aliño de soja y vinagre balsámico

1 kg de calabaza moscada pelada y cortada en dados de 2 cm
aceite de oliva
100 g de lentejas de Puy
100 g de rúcula
1 cucharadita de semillas de sésamo tostadas para aderezar
6 cebolletas en rodajas finas para aderezar

ALIÑO DE SOJA
5 cucharadas de aceite de oliva
3 cucharadas de vinagre balsámico
1 cucharada de salsa de soja
1 chile rojo sin semillas, picado
1 diente de ajo picado fino
1 cucharadita de miel líquida

25 minutos • 4 raciones

1 Precalentar el horno a 200 °C. Poner la calabaza en una bandeja de horno, rociar con 1 cucharada de aceite de oliva y sazonar. Asar 20 minutos o hasta que se ablande, sacudiendo la bandeja un par de veces para que no se pegue.
2 Cocer las lentejas a fuego lento unos 15 minutos o hasta que estén al dente y escurrir. Batir juntos los ingredientes del aliño. Poner la rúcula en una fuente para servir y colocar las lentejas y la calabaza por encima. Verter el aliño sobre la ensalada y esparcir las semillas de sésamo y la cebolleta.

Se puede utilizar tocino sin ahumar en lugar de la panceta.

Ensalada de huevos de codorniz y espinacas con aliño agridulce

12 huevos de codorniz
2 rebanadas de masa fermentada o chapata cortadas en dados de 2 cm
aceite de oliva
160 g de lechuga o espinaca baby
1 cebolla roja pequeña cortada en aros

ALIÑO AGRIDULCE
4 lonchas de panceta picadas
5 cucharadas de aceite de oliva virgen extra
2 dientes de ajo picados fino
1 cucharada de azúcar extrafino
3 cucharadas de vinagre de sidra
2 cucharadas de zumo de limón recién exprimido

20 minutos • 4 raciones

1 Precalentar el horno a 200 °C. Cocer los huevos de codorniz en agua hirviendo 2½ minutos y enfriar luego con agua fría.
2 Esparcir los dados de pan en una bandeja de horno. Echar 1 cucharada de aceite de oliva por encima y sazonar. Hornear 5 minutos o hasta que estén dorados y crujientes, y luego dejar enfriar.
3 Para hacer el aliño, freír la panceta sin aceite en una sartén pequeña hasta que quede crujiente y secar luego con papel de cocina. Echar el aceite de oliva y el ajo en la sartén y rehogar hasta que se dore un poco. Sacar del fuego y añadir la panceta, el azúcar, el vinagre y el zumo de limón, y sazonar. Devolver al fuego y mezclar bien.
4 Colocar la lechuga o las espinacas en cuencos. Pelar y partir por la mitad los huevos de codorniz y añadirlos a la ensalada con la cebolla y los picatostes. Verter el aliño caliente por encima y mezclarlo todo.

Este plato es un gran acompañante para el pollo asado con puré. Las endivias absorben todo el sabor de la panceta ahumada y de la sidra mientras se cuecen.

Endivias estofadas con tocino, sidra y ajo

mantequilla
8 lonchas de panceta ahumada picadas
1 diente de ajo grande y cortado fileteado
4 endivias partidas por la mitad a lo largo
200 ml de sidra

30 minutos • 4 raciones

1 Derretir un trozo de mantequilla en una sartén grande con tapa y freír la panceta hasta que empiecen a dorarse los bordes. Añadir el ajo y sofreír, después sacarlo todo de la sartén.
2 Poner las endivias en la sartén con la parte cortada hacia abajo (añadiendo un poco más de mantequilla si es necesario) y freír hasta que adquieran bastante color de caramelizado. Dar la vuelta a las endivias, añadir la panceta con el ajo y la sidra y llevar a ebullición. Tapar y hervir a fuego lento durante 12-15 minutos o hasta que se ablanden.

Si añades ralladura de lima caramelizada, hiérvela a fuego lento en agua y azúcar a partes iguales. Enfríala y viértela por encima.

Bizcochos de lima y coco con maracuyá

7 claras de huevo
la ralladura de 1 lima, más 2 cucharadas de zumo
¾ de cucharadita de cremor tártaro (buscar en la sección de repostería de los supermercados)
120 g de azúcar extrafino
60 g de harina
15 g de maicena
50 g de coco rallado
4 maracuyás grandes

1 hora y 30 minutos • 6 pasteles

1 Precalentar el horno a 160 °C. Batir las claras de huevo con una pizca de sal y el zumo de lima hasta obtener una mezcla espumosa. Añadir el cremor tártaro y batir a punto de nieve. Incorporar poco a poco 90 g de azúcar extrafino y la ralladura de lima hasta conseguir un merengue espeso.
2 Tamizar el resto del azúcar extrafino, la harina y la maicena sobre un cuenco e incorporar el merengue en 3 tandas para retener todo el aire que sea posible. Agregar el coco rallado. Repartir en 6 moldes Savarin de 10 cm sin engrasar y hornear 30 minutos hasta que queden firmes y un poco dorados por encima.
3 Volcar los moldes sobre una rejilla (esto genera vapor y suaviza los bizcochos) y dejar 10 minutos. Dar una buena sacudida a cada pastel y un golpecito para que los moldes se suelten. Dejar en la rejilla hasta que se enfríen del todo.
4 Sacar la pulpa de los maracuyás con una cuchara y colar apretando para eliminar las semillas. Verter el zumo por encima de los pasteles antes de servir.

¿No te gusta el Baileys? Prueba con licores como Tia Maria, Frangelico o Amaretto.

Chocolate affogato

500 g de helado de chocolate
200 ml de Baileys
4 medidas de café expreso o 200 ml de café fuerte caliente

10 minutos • 4 raciones

1 Poner 2-3 cucharadas de helado en 4 cuencos pequeños o tazas de café. Echar 50 ml de Baileys en cada cuenco, seguido de una medida de expreso.

Cuidado con el fuego al derretir el chocolate blanco, ya que cuaja fácilmente.

Mousse de chocolate blanco con minihuevos de Pascua

200 g de chocolate blanco
200 ml de crème fraîche
200 ml de nata para montar
minihuevos de Pascua troceados para decorar

20 minutos + tiempo de enfriado • 6 raciones

1 Derretir el chocolate en una fuente refractaria colocada dentro de una cazuela de agua hirviendo. Bajar el fuego y dejar enfriar un poco. Incorporar la crème fraîche y la nata para montar y unir hasta obtener una mezcla uniforme. Verter en 6 copas de helado pequeñas y dejar enfriar 1 hora.

2 Echar por encima los huevos de Pascua troceados justo antes de servir.

Se pueden preparar de antemano hasta el último paso y hornear justo antes de comer.

Tatines de piña con especias

500 g de masa de hojaldre extendida hasta el grosor de una moneda
1 piña pequeña pelada y cortada en 6 rodajas de 2 cm de grosor
70 g de azúcar extrafino
35 g de mantequilla sin sal
1 anís estrellado machacado en un mortero
½ cucharadita de canela molida
crème fraîche para servir (opcional)

45 minutos • 6 raciones

1 Cortar 6 discos de masa (de unos 10 cm) que quepan en moldes pequeños para tartas. Poner a enfriar.
2 Forrar los moldes con papel de horno. Precalentar el horno a 180 °C. Quitarle el corazón a la piña.
3 Calentar el azúcar a fuego lento en un cazo hasta que se vuelva de un color caramelo claro. Sacudir el cazo mientras se funde, pero sin remover para que no cristalice. Sacar del fuego e incorporar la mantequilla, el anís estrellado y la canela. Repartir entre los moldes, poner una rodaja de piña en cada uno y hornear durante 10 minutos.
4 Colocar un disco de masa sobre cada tartita, pinchar con un tenedor y hornear 20 minutos. Poner a enfriar solo 5 minutos, volcar y servir.

Servir con macarons (un pastel pequeñito y redondo hecho con almendras) localizables en tiendas delicatessen o pastelerías.

Crema de champán

284 ml de nata para montar
4 cucharadas de azúcar glas
200 ml de champán

10 minutos • 4 syllabubs

1 Batir la nata y el azúcar juntos a punto de nieve, incorporar el champán y seguir batiendo hasta obtener una mezcla homogénea y consistente.

La granadina le da al ruibarbo un intenso color rosa.

Pavlova de ruibarbo rosa

300 g de ruibarbo cortado en trozos de 4 cm (ha de ser de la variedad rosa)
100 g de azúcar extrafino
2 cucharadas de granadina
568 ml de nata para montar un poco batida

MERENGUE
4 claras de huevo
200 g de azúcar extrafino
1 cucharadita de maicena
1 cucharadita de vinagre de vino blanco

2 horas + tiempo de enfriarse
• 8 porciones

1 Precalentar el horno a 180 °C. Para hacer el merengue, batir las claras de huevo a punto de nieve, luego añadir el azúcar echando un poco cada vez y batir hasta que quede firme. Incorporar la maicena y el vinagre.
2 Usar un plato llano para trazar un círculo en un trozo de papel de horno, rellenar con el merengue y usar una paleta grande para levantar el borde. Bajar el horno a 120 °C. Hornear 1 hora y media, sacar y dejar que se enfríe por completo.
3 Cocer el ruibarbo y el azúcar en una cazuela grande con un poco de agua a fuego lento hasta que se ablande. Poner la granadina en un cazo y reducir a jarabe. Enfriar y mezclar con el ruibarbo. Para servir, amontonar la nata sobre la pavlova, poner encima el ruibarbo y un chorrito de jarabe de granadina.

El vino de jengibre intensifica el sabor a jengibre, pero se puede quitar.

Terrina de limón helado y yogur de jengibre

500 ml de yogur griego
284 ml de nata para montar un poco batida
la ralladura de 1 limón
4 trozos de tallo de jengibre en jarabe cortados en tiras, más 2 cucharadas de jarabe del tarro
3 cucharadas de vino de jengibre
10 galletas de jengibre desmenuzadas

30 minutos + tiempo de congelado
• 6 porciones

1 Forrar un molde rectangular pequeño con film transparente.
2 Mezclar el yogur, la nata, la ralladura de limón, los trozos de jengibre, el jarabe y el vino de jengibre (si se utiliza). Poner 1/3 de la mezcla de yogur en el fondo del molde y añadir luego la mitad de las galletas. Añadir otro 1/3 de yogur y cubrir con el resto de galletas. Terminar con el resto de la mezcla de yogur. Meter en congelador 4 horas como mínimo o toda la noche.
3 Volcar sobre un plato y esperar 20-30 minutos antes de cortar en porciones. Servir añadiendo un poco de jarabe y de trocitos de jengibre por encima.

Puede parecer que la mantequilla se corta al batirla con los huevos y el azúcar, pero adquiere consistencia con el chocolate.

Tarta de chocolate con leche y nueces pacanas

200 g de nueces pacanas tostadas y picadas
300 g de mantequilla: 125 g derretida, 175 g blanda
250 g de chocolate con leche
250 g de chocolate y un poco más para decorar
150 g de azúcar extrafino
6 huevos
1 cucharada de extracto de vainilla
568 ml de nata para montar

30 minutos + tiempo de enfriado
• 12 porciones

1 Mezclar las nueces pacanas y la mantequilla derretida en un cuenco. Verter en un molde desmontable para pasteles de 22 cm y presionar. Poner a enfriar mientras se prepara el resto de la receta.

2 Fundir el chocolate en intervalos de 20 segundos en el microondas, o en un cuenco de cristal colocado sobre una cazuela de agua hirviendo, pero no dentro de ella. Mezclar el azúcar y la mantequilla blanda con batidora o varillas. Batir a velocidad media hasta que quede esponjoso, y luego añadir los huevos y batir 2 minutos más.

3 Incorporar el chocolate fundido, la vainilla y 125 ml de nata y batir 2 minutos más. Extender la mezcla sobre las nueces del molde y poner a enfriar 3 horas como mínimo. Justo antes de servir, batir ligeramente la nata restante y extenderla sobre la capa de chocolate, luego espolvorear con virutas de chocolate. Partir y servir.

Si no tienes exprimidor, puedes comprar cartones de zumo de manzanas recién exprimidas.

Sorbete de manzana y menta

2 cucharadas de azúcar
1 ramita de menta
850 ml de zumo de 6-8 manzanas
el zumo de ½ limón

35 minutos + tiempo de batir • 1 litro

1 Poner el azúcar en un cazo con 150 ml de agua. Calentar hasta que el azúcar se disuelva y añadir la menta. Dejar en infusión 20 minutos. Colar y añadir al zumo de manzana y al de limón.
2 Verter en una heladora y batir hasta que tenga consistencia de sorbete.

Los higos maduros tienen un intenso olor y se notan blandos al apretarlos.

Higos asados con jarabe de arce, nueces y mascarpone a la vainilla

12 higos maduros
50 g de mantequilla en dados
50 g de nueces partidas
4 cucharadas de jarabe de arce
200 g de mascarpone mezclado con 1 cucharadita de extracto de vainilla para servir

30 minutos • 4 raciones

1 Precalentar el horno a 200 °C. Cortar los higos en cruz hasta ¾ de su grosor para que se abran un poco. Meter un dado de mantequilla en cada higo y colocarlos todos en una fuente de horno engrasada. Esparcir las nueces por encima y rociar con jarabe de arce. Hornear unos 20 minutos, echando el jarabe y la mantequilla por encima de vez en cuando. Servir 3 higos por persona con una cucharada de mascarpone a la vainilla.

Se pueden utilizar otros rellenos para este trifle. Prueba con pastel de limón o de chocolate en lugar de bizcocho y utiliza fresas frescas en verano en lugar de bayas.

Trifle con bayas de invierno

500 g de bayas variadas congeladas
4 cucharadas de azúcar extrafino
4 cucharadas de crema de cassis (u otro licor de bayas)
unos 250 g de bizcocho en porciones
250 ml de mascarpone
500 ml de crema pastelera
2 cucharaditas de extracto de vainilla
426 ml de nata para montar

20 minutos + tiempo de enfriado
• 8 porciones

1 Poner las bayas y el azúcar en una cazuela y cocer a fuego lento hasta que el azúcar se disuelva. Incorporar la crema de cassis y poner a enfriar un poco.
2 Colocar una capa de pastel de Madeira en el fondo de una copa grande para trifle y verter $^2/_3$ de la mezcla de bayas por encima (puede que no se necesite toda).
3 Batir el mascarpone hasta obtener una mezcla homogénea e incorporar lentamente la crema pastelera y la vainilla y remover. Echar sobre el pastel y las bayas. Batir la nata para montar a punto de nieve y echar por encima con una cuchara. Poner a enfriar 1 hora. Justo antes de servir, rociar con el resto de la mezcla de bayas.

La cantidad de azúcar que hay que añadir dependerá de la acidez de las grosellas rojas.

Granizado de vino dulce y grosellas rojas

300 g de grosellas rojas
100 g de azúcar extrafino y un poco más al gusto
el zumo y la ralladura de 1 naranja
1 vaso de vino dulce de postre como el moscatel

30 minutos + tiempo en el congelador
• 4 raciones

1 Poner las grosellas rojas, el azúcar y el zumo y la ralladura de naranja en una cazuela con 100 ml de agua. Cocer a fuego lento 5-10 minutos hasta que las grosellas rojas se abran.
2 Batir en un robot de cocina o batidora y pasar luego por un colador (probar y añadir un poco más de azúcar si se necesita). Incorporar el vino. Verter en una fuente grande y meter en el congelador 4 horas como mínimo.
3 Usar un tenedor para romper el granizado y servir luego en vasos.

Se han de probar los albaricoques con frecuencia mientras se hornean. Cuanto más maduros estén, menos tiempo se necesitará.

Albaricoques asados a la vainilla

mantequilla sin sal para engrasar
800 g de albaricoques sin hueso y partidos por la mitad
2 cucharadas de azúcar extrafino
el zumo de 1 limón y la corteza cortada en tiras
1 vaina de vainilla
200 ml de vino blanco dulce como el moscatel
helado de vainilla o crème fraîche para servir

1 hora y 20 minutos • 4 raciones

1 Precalentar el horno a 180 °C. Engrasar el interior de una fuente refractaria y colocar los albaricoques en una sola capa con la parte cortada hacia arriba. Espolvorear con el azúcar. Añadir el zumo y la corteza de limón.

2 Partir la vaina de vainilla por la mitad y meter entre los albaricoques.

3 Rociar con el vino dulce y hornear en la rejilla media unos 40 minutos hasta que la fruta quede blanda y el líquido se haga jarabe. Servir caliente con helado de vainilla o crème fraîche.

Si no tienes heladera, pon los helados en recipientes, congélalos parcialmente, bátelos y vuelve a congelarlos.

Yogur helado con piña y sorbete de frambuesas

YOGUR DE PIÑA
1 piña pequeña madura de unos 350 g
125 g de azúcar extrafino,
más 1 cucharada
500 ml de yogur natural
el zumo y la ralladura de 2 limas
1 puñado de hojas de menta picadas

SORBETE DE FRAMBUESAS
200 g de azúcar extrafino
500 g de frambuesas

1 hora y 40 minutos • 6 raciones

1 Para hacer el yogur de piña, pelar y quitar el corazón a la piña y batir la pulpa en un robot de cocina para convertirla en puré. Mezclar el azúcar, el yogur, la ralladura y el zumo de lima y la menta en un cuenco y añadir el puré de piña. Verter en una heladora, batir hasta que espese y congelar.

2 Para hacer el sorbete de frambuesas, hervir el azúcar en 150 ml de agua durante 1 minuto. Apartar unas cuantas frambuesas para decorar y cocer el resto en el almíbar de azúcar durante 15 minutos a fuego medio. Convertir en puré en un robot o batidora. Colar para eliminar las pepitas y dejar enfriar. Enfriar más en la nevera.

3 Verter en una heladora, batir hasta que espese y congelar. Pasar ambos helados a la nevera durante 20 minutos para que se ablanden antes de servirlos.

Se puede prescindir del caramelo si se desea un postre más sencillo e igual de bueno.

Panacota de limón con caramelo de limón

aceite de girasol para engrasar
375 ml de leche entera
375 ml de nata para montar
la ralladura de 1 limón en tiras gruesas
100 g de azúcar extrafino
4 láminas de gelatina empapadas en agua fría hasta que se ablanden

CARAMELO DE LIMÓN
100 g de azúcar extrafino
1 cucharada de zumo de limón (del limón rallado)

30 minutos + tiempo de enfriado y cuajado

1 Pintar 6 flaneras de 150 ml con un poco de aceite de girasol. Poner la leche y la nata en una cazuela. Añadir la ralladura de limón y el azúcar, cocer a fuego lento y retirar del fuego cuando rompa a hervir.

2 Verter 150 ml de la mezcla en un cuenco pequeño, añadir la gelatina y remover hasta que se disuelva completamente. Dejar enfriar el resto de la mezcla a temperatura ambiente para que adquiera el sabor de la ralladura de limón. Juntar las dos mezclas, remover y pasar por un colador sobre los moldes. Poner a enfriar hasta que cuaje.

3 Mientras tanto, para preparar el caramelo, calentar el azúcar en un cazo hasta que se funda y adquiera un tono dorado. Quizá sea necesario mover el cazo para que el color quede uniforme. Retirar del fuego y añadir el zumo de limón, que chisporroteará. Volver a fundir el caramelo si se ha endurecido y verter luego en un trozo de papel de horno sobre una tabla de cortar. Poner a enfriar y partir en trozos. Volcar la panacota en platos con los trozos de caramelo.

Pueden servirse como canapés dulces en vasos de licor o en cucharitas de porcelana para aperitivos.

Mousse de chocolate veteado

200 g de chocolate con leche
2 barritas de chocolate con miel troceadas
284 ml de nata para montar
250 ml de mascarpone

20 minutos • 6 pudines

1 Fundir 150 g del chocolate e incorporar luego los trozos de las barritas de chocolate con miel.
2 Incorporar la nata al mascarpone poco a poco y añadir luego a la mezcla del chocolate hasta que quede veteado. Repartir en copas pequeñas o tazas y esparcir el resto de chocolate por encima, rallado o en virutas.

El zumo de pomelo recién exprimido tiene un sabor vigorizante, pero puede comprarse un cartón si se necesita para un postre rápido y fácil.

Granizado de pomelo rosado y jengibre

750 ml de zumo de pomelo rosado
1 trozo de raíz de jengibre del tamaño de un pulgar, rallado fino
150 g de azúcar extrafino
7 gotas de angostura (opcional)

10 minutos + tiempo de congelado
• 6 granizados

1 Calentar el zumo de pomelo, el jengibre y el azúcar en una cazuela a fuego lento, removiendo hasta que el azúcar se disuelva, pero sin dejar que la mezcla rompa a hervir. Dejar enfriar.
2 Colar y añadir la angostura (si se usa). Verter la mezcla en un recipiente poco hondo (de unos 20 x 30 cm) y meter durante 1 hora en el congelador. Usar un tenedor para romper los bordes congelados del granizado para moverlos hacia el centro y seguir congelando durante 1 hora más. Repetir cada hora durante 3-4 horas y dejarlo luego 1 hora más hasta obtener un recipiente lleno de cristales rosados. Romper el granizado con un tenedor antes de servirlo en vasos altos enfriados en la nevera.

Se puede dorar el merengue sin hornear si se dispone de un soplete de cocina.

Minisuflés de Alaska al horno

1 bizcocho
3 cucharadas de mermelada de frambuesa de buena calidad (sin pepitas si se prefiere)
1 tarrina de helado de vainilla
6 claras de huevo
250 g de azúcar extrafino

20 minutos + tiempo de enfriado
• 6 porciones

1 Cortar el bizcocho en 6 porciones gruesas y recortar un disco de cada porción. Untar cada disco con ½ cucharadita de mermelada y poner los discos en una bandeja forrada con papel de horno. Poner una cucharada de helado sobre cada disco y meter 1 hora en el congelador, o hasta que se vaya a servir.

2 Precalentar el horno a 200 °C. Batir las claras de huevo a punto de nieve y añadir el azúcar en 4 tandas sin dejar de batir hasta obtener una mezcla consistente y brillante (cuajará tras pasar varias horas metido en la nevera).

3 Cubrir cada Alaska con una gruesa capa de merengue formando picos. Hornear durante 3-4 minutos. El merengue ha de dorarse ligeramente sin que el helado se derrita.

En el horno, el relleno de esta tarta se convierte milagrosamente en cuajada de lima. Pueden utilizarse arándanos o moras en lugar de frambuesas.

Tarta de cuajada de lima y frambuesas

- 350 g de masa quebrada fresca o congelada
- 3 yemas de huevo
- 125 de azúcar extrafino
- 50 g de mantequilla sin sal derretida
- 250 ml de crème fraîche
- 2 cucharadas de harina
- el zumo y la ralladura de 1 lima
- 150 g de frambuesas
- nata o helado para servir

1 hora • 8 porciones

1 Precalentar el horno a 200 °C. Extender la masa sobre una superficie enharinada hasta ½ cm de grosor y utilizarla para forrar un molde de tarta desmontable de 23 cm. Cubrir con papel de horno y alubias secas y hornear 10 minutos. Quitar el papel y hornear 5 minutos más o hasta que la masa esté seca y un poco dorada. Bajar el horno a 180 °C.

2 Batir las yemas de huevo, el azúcar, la mantequilla, la crème fraîche, la harina y el zumo y la ralladura de lima en un cuenco con una pizca de sal y verter sobre la masa horneada.

3 Esparcir las frambuesas por encima y hornear durante 30-40 minutos o hasta que cuaje el relleno. Dejar enfriar por completo sobre una rejilla y servir a temperatura ambiente con nata o helado.

Añadir una cuchara original a cada copa antes de que cuaje la jalea para darle un toque elegante.

Champán de jalea y saúco

5 láminas de gelatina
1 botella de champán o de vino espumoso
75 g de azúcar extrafino
2 cucharadas de licor de saúco

15 minutos + tiempo de enfriado y cuajado • 6 raciones

1 Empapar las láminas de gelatina en agua fría hasta que se ablanden. Poner 100 ml de agua y ¼ del champán en una cazuela con el azúcar extrafino.
2 Calentar a fuego lento hasta que el azúcar se disuelva, eliminar el exceso de agua de las láminas de gelatina y añadir al líquido. Colar sobre un cuenco, dejar enfriar y luego añadir el resto del champán y el licor.
3 Repartir la jalea en 6 copas de champán. Poner a enfriar unas 4 horas (o toda la noche) para que cuaje.

Batir la nata para montar hasta que empiece a espesarse y añadir la mezcla de limón. Al volver a batir, adquirirá la consistencia perfecta.

Crema de limoncello con amaretti triturados

el zumo y la ralladura de 2 limones
75 ml de limoncello
300 ml de nata para montar
100 g de azúcar extrafino
12 galletas amaretti para decorar

20 minutos • 6 raciones

1 Mezclar el zumo de limón, la mayor parte de la ralladura y el limoncello. Poner la nata en un cuenco grande y batir ligeramente con el azúcar. Añadir la mezcla de limón y batir hasta incorporarla por completo.

2 Repartir en 6 vasos pequeños y poner a enfriar durante 1 hora como mínimo. Justo antes de servir, poner 6 galletas en una bolsa de plástico. Triturar con un rodillo y esparcir los trozos en los vasos con un poco de ralladura de limón. Servir cada vaso con una galleta si se desea.

Debido a sus suculentos ingredientes, se recomienda servir porciones pequeñas.

Terrina de chocolate Saint Emilion

300 g de chocolate
150 ml de leche
150 g de caramelo colorante
140 g de mantequilla sin sal en trocitos
1 huevo ligeramente batido
150 g de galletas amaretti troceadas
3 nidos de merengue troceados
cacao para espolvorear

20 minutos + tiempo de enfriado
• 10 porciones

1 Forrar un molde rectangular de 23 x 13 cm con film transparente de forma que cuelgue por los bordes.
2 Partir el chocolate en trozos y mezclar con la leche, el caramelo, la mantequilla y una pizca de sal en una cazuela grande. Calentar a fuego muy lento hasta que todo se haya fundido.
3 Incorporar el huevo sin dejar de batir para que se cueza ligeramente en la mezcla de chocolate antes de sacar la cazuela del fuego. Añadir los trozos de galletas y el merengue al chocolate, procurando no triturarlos demasiado, para que los trozos le den textura a la tarrina.
4 Verter la mezcla en el molde forrado, alisar con una espátula y dar varios golpecitos al molde para que las posibles burbujas de aire suban a la superficie. Cubrir con el film transparente que colgaba y poner a enfriar durante 4 horas como mínimo hasta que quede firme.
5 Espolvorear con el cacao y cortar en finas porciones para servir a temperatura ambiente.

Este laborioso pastel de merengue con nueces puede prepararse con antelación y guardarse en el congelador hasta una semana.

Pastelito helado de chocolate y nueces de macadamia

100 g de nueces de macadamia ligeramente tostadas y picadas
300 g de azúcar extrafino
3 claras de huevo

RELLENO DE GANACHE
150 ml de nata para montar y un poco más para servir
100 g de chocolate negro o chocolate con leche fundido
100 g de crème fraîche

1 hora y 30 minutos + tiempo de congelado • 4 dacquoises

1 Con el horno a 150 °C, poner papel de horno en 2 bandejas y dibujar en cada una 6 discos de 9 cm.
2 Esparcir las nueces sobre papel de aluminio con aceite. Hervir 150 g de azúcar en 4 cucharadas de agua hasta que tome un color ámbar y verter sobre las nueces. Enfriar y trocear.
3 Moler el resto de las nueces en un robot.
4 Batir las claras a punto de nieve con sal. Añadir 150 g de azúcar gradualmente y batir.
5 Agregar las nueces molidas. Poner 1 cucharada de merengue sobre cada disco y extender. Hornear 45 minutos.
6 Para el ganache, batir la nata e incorporar el chocolate fundido y la crema. Extender un poco de ganache sobre 4 merengues, cubrir con otro merengue, repetir y terminar con un merengue.
7 Congelar 2 horas. Dejar ablandar 10 minutos antes de servir con más nata y los trozos de nueces caramelizadas.

Se puede añadir una capa superior de galletas de jengibre desmenuzadas para obtener un postre de distinta textura.

Dulce de raíz de jengibre

284 ml de nata para montar
3 cucharadas de jarabe de raíz de jengibre
4 cucharadas de vino de jengibre
3 trozos de raíz de jengibre en jarabe, 2 picados fino y 1 en rodajas

15 minutos • 4 raciones

1 Batir la nata a punto de nieve, incorporar el jarabe y el vino de jengibre y añadir luego el jengibre picado.
2 Repartir en vasos pequeños y adornar con una rodaja de raíz de jengibre.

Si la nata está muy fría, deja que se caliente un poco para que el chocolate no cuaje.

Tarta de chocolate blanco con salsa

50 g de mantequilla
300 g de galletas amaretti molidas en un robot de cocina
300 g de chocolate blanco picado
426 ml de nata para montar

SALSA DE CHOCOLATE
100 g de chocolate picado fino
125 ml de crème fraîche
3 cucharadas de azúcar extrafino

30 minutos + tiempo de congelado • 8 porciones

1 Derretir la mantequilla en una cazuela, añadir las galletas y mezclar bien. Engrasar un molde redondo desmontable de 18 cm y presionar la mezcla de galletas en el fondo. Meter en el congelador hasta que adquiera firmeza.
2 Mientras tanto, fundir el chocolate blanco en un cuenco sobre una cazuela de agua hirviendo o en breves intervalos en el microondas y dejar enfriar.
3 Batir la nata hasta que se pueda dejar una huella como una cinta durante un par de segundos. Incorporar 2 cucharadas de nata montada al chocolate blanco. Añadir el resto del chocolate a la nata y mezclar bien. Verter en el molde y poner a enfriar hasta que adquiera firmeza.
4 Preparar la salsa poniendo todos los ingredientes en una cazuela con 250 ml de agua. Llevar a ebullición sin dejar de remover. Hervir a fuego lento hasta que la mezcla espese (lo bastante como para dejar una capa en una cuchara de madera) y poner a enfriar. Usar un poco para decorar la parte superior de la tarta y recalentar el resto cuando se vaya a servir.

Índice

Créditos de fotografías y recetas

BBC Books y la revista **olive** quieren expresar su agradecimiento a las siguientes personas por haber proporcionado las fotografías que ilustran este libro. Aun habiéndonos esforzado al máximo por averiguar la procedencia de todas ellas, queremos pedir disculpas por cualquier error u omisión que haya podido producirse.

Jean Cazals p. 55, p. 65, p. 71, p. 73, p. 105, p. 141, p. 171, p. 173, p. 191, p. 197, p. 201, p. 209, p. 211; Gus Filgate p. 11, p. 13, p. 67, p. 97, p. 137, p. 163, p. 195, p. 199, p. 205, p. 207; Gareth Morgans p. 59; David Munns p. 15, p. 17, p. 21, p. 69, p. 89, p. 91, p. 103, p. 119, p. 121, p. 169, p. 189; Myles New p. 19, p. 29, p. 75, p. 99, p. 127, p. 167, p. 177; Michael Paul p. 23, p. 27, p. 63, p. 81, p. 107, p. 111, p. 117, p. 143, p. 151, p. 155, p. 203; Brett Stevens p. 35, p. 39, p. 43, p. 47, p. 51, p. 53, p. 79, p. 93, p. 95, p. 101, p. 125, p. 139, p. 179, p. 185; Philip Webb p. 25, p. 31, p. 33, p. 37, p. 45, p. 49, p. 57, p. 61, p. 77, p. 87, p. 109, p. 113, p. 115, p. 123, p. 129, p. 131, p. 145, p. 147, p. 149, p. 153, p. 161, p. 165, p. 175, p. 181, p. 183, p. 187, p. 193; Simon Wheeler p. 41, p. 83, p. 85, p. 133, p. 135, p. 157, p. 159.

Todas las recetas de este libro han sido creadas por el equipo editorial de la revista **olive**.

olive

Cuando andamos cortos de tiempo o de inspiración, dar una cena en casa o preparar la comida para familiares y amigos puede resultar una tarea estresante. En *101 ideas fáciles para invitar*, la revista **olive** ofrece sugerencias incluso para las ocasiones más apuradas. Se incluyen clásicos modernos como Salmón adobado en azúcar y Solomillo de buey asado con chalotas y champiñones, así como ideas más innovadoras, como Gambas envueltas en fideos crujientes con mermelada de tomate y Ganso asado con guindas secas y salsa de vino tinto. Hay muchos entrantes, segundos y guarniciones entre los que elegir. También hay muchas sugerencias vegetarianas y postres deliciosos con los que completar la comida.

olive es la elegante revista mensual dedicada a los amantes de la cocina. Junto con recetas sencillas de temporada, restaurantes recomendados y viajes gastronómicos, **olive** ofrece orientación sobre la conducta para efectuar la compra, consejos sobre vino exentos de pretensiones, además de trucos y técnicas de chefs expertos como Gordon Ramsay y John Torode, de *MasterChef's.*

Visítanos en www.olivemagazine.co.uk